漢字

S0-AVB-358

# 학부모님들의 뜨거운 사랑, 최고의 학습지로 보답하겠습니다!

**기탄학습지를 사랑해 주시는 전국의 유·초등학생, 그리고 학부모님 여러분!**

그동안 기탄교육은 대한민국 모든 어린이들이 공평한 교육기회를 누릴 수 있도록, 저렴하면서도 최고의 학습효과를 거둘 수 있는 서점용 학습지를 개발·보급하여 왔습니다. 대표 브랜드 기탄수학을 비롯하여 기탄사고력수학, 기탄국어와 급수한자, 스텐퍼드영단어 등 기탄의 학습지들은 자녀교육에 관심이 높은 학부모님들께 꾸준한 인기를 얻었으며, 그 결과 기탄수학이 3년 연속 주요 일간지 학습지부문 히트상품에 선정되기도 했습니다. 또한 외국 교포, 외국에서 근무하는 외교관이나 상사주재원의 자녀, 이민이나 조기유학을 떠나는 학생들에게 기탄학습지는 꼭 챙겨야 하는 중요품목으로 자리잡게 되었습니다.

기탄교육은 이러한 성원에 힘입어 교재에 대한 다양한 요구를 수렴하고, 교육의 시대적 변화에 능동적으로 대처한 신개념 학습지 기탄한글과 기탄영어를 개발하여 전국의 학부모님들로부터 뜨거운 찬사를 받고 있습니다. 특히 세계 최초로 채택한 4 in 1 시스템 제본은 뛰어난 학습 효과는 물론이고, 고객중심의 사고로 우리나라 교육출판 역사에 한 획을 그은 획기적인 발상으로 평가받고 있습니다.

이번에 새로이 선보인 「기탄한자」 역시 어린이들과 학부모님의 기대에 부응하는 최고의 한자학습지라 자부합니다. 최근 한자능력검정시험에 응시하여 자격증을 따는 초등학생의 숫자가 기하급수적으로 증가하는 등 한자교육의 중요성이 높아지고 있습니다. 특히 어릴 때부터 한자를 익히면 중국어나 일본어를 습득하는데도 큰 도움이 될 뿐만 아니라 국어의 언어능력이 높아지고 학습효과가 증대된다는 많은 연구보고가 있습니다.

'곡식은 농부의 발자국 소리를 듣고 자란다'는 말처럼 아이들 교육에서도 부모의 관심과 애정이 가장 큰 힘이요, 자양분입니다. 무조건 값비싼 사교육에 우리 아이들을 맡기기보다는 아이들 스스로 공부하는 힘을 길러줄 수 있도록 기초 교육만큼은 부모님께서 직접 챙겨 주십시오.
앞으로도 저희 기탄교육은 항상 연구하고 노력하는 자세로 부모와 자녀가 함께 공부할 수 있는 좋은 교재를 개발하기 위해 모든 노력을 경주하겠습니다.

기탄을 사랑하시는 전국의 모든 학부모님과 어린이 여러분께 진심으로 감사의 말씀을 드립니다.

**(주) 기탄교육 임직원 일동**

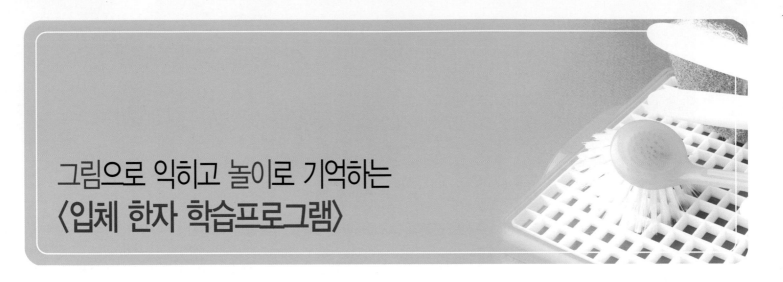

# 그림으로 익히고 놀이로 기억하는
## 〈입체 한자 학습프로그램〉

## 이미지 연상에 의한 그림 한자 학습

한자는 그림에서 출발한 문자입니다. 사물의 모양을 본떠서 점차 상징화된 표의문자(뜻글자)로 발전하여 오늘날 세계에서 가장 많은 수의 인구가 사용하는 문자가 되었습니다. 기탄한자는 아이들에게 한자를 그림의 일부로서 뜻을 기억하게 하고 사물의 모양에서 문자 요소를 각인하도록 하였습니다. 학습지업계 최초로 이미지 연상을 통한 그림 한자를 개발하여 아이들은 한자를 기호가 아닌 그림 덩어리로 받아들여 저절로 기억하게 됩니다.

## 자원변화 과정의 이해를 통한 원리 이해 학습

기탄한자는 무조건 쓰고 외우는 방식이 아니라 자원변화 과정의 이해를 통한 제자 원리를 이해하도록 합니다. 갑골문 – 금문 – 설문해자의 한자 변천 과정을 아이들의 눈으로 접해 보며 원리 이해에 의한 한자 학습을 진행합니다. 문자학계의 정설을 엄선하여 학문적으로 여러 번의 감수와 고증을 거친 한자 학습의 표본이 될 수 있는 한자 학습프로그램입니다.

## 학습 효과를 극대화하는 체계적인 학습 전개 방식

한 주의 학습 전개 방식은
복습 ➡ 도입 ➡ 전개 ➡ 활용 ➡ 정리 ➡ 상식 ➡ 놀이
학습의 순서로 전개됩니다.

**복습** 한 주 학습의 시작은 항상 지난 주에 학습했던 한자의 복습으로 출발합니다. ⇨

**도입** 재미있는 창작 동화를 통해 이번 주에 익힐 한자의 개념을 접하고 스티커 활동을 통해 흥미를 불러일으킵니다.

**전개** 각각 한자의 뜻과 소리와 모양 그리고 필순, 부수, 한자어 등을 익히게 됩니다. ⇨

**활용** 학습한 한자를 다양한 놀이 방법을 통하여 자연스럽게 좌뇌와 우뇌를 개발하는 이미지 학습법으로 한자 실력을 다져 나갑니다.

**정리** 앞서 익힌 3요소, 필순, 부수 등 한자의 가장 필수적인 내용을 마무리합니다. ⇨

**상식** 한자와 관련된 상식, 고사, 유래, 일화 등 여러 가지 흥미로운 이야기들을 엄마와 아이가 함께 읽어 나가면서 학습에 진정한 재미를 느낄 수 있습니다. ⇨

**놀이** 오리기, 접기, 만들기, 퍼즐 맞추기, 그림 그리기, 만화 등 아이의 오감을 이용할 수 있는 놀이 활동으로 한 주 학습을 마무리합니다.

# 아이들은 한자박사로,
# 엄마는 진정한 선생님으로 만들어 드립니다

## 아동의 좌우뇌 발달을 돕는 한자 학습

대뇌를 연구하는 학자들에 의하면 6세 이전에는 우뇌가 주로 발달하고 그 이후에는 좌뇌 발달이 이루어진다고 합니다. 우뇌는 이미지, 직관, 예술 등의 기능을 담당하고 좌뇌는 분석적, 논리적, 언어적인 역할을 담당합니다. 기탄한자만의 자랑인 그림 한자, 도트 연결 한자, 숨은 한자, 직관 한자 등 이미지 요소 학습을 통해 직관력과 통찰력을 키워 아이의 우뇌를 사극해 줍니다. 또, 뜻, 소리, 모양 분리하기, 규칙성 알기, 모눈한자 따라가기, 모양 추리하기, 한글 • 한자병기 학습은 아이의 좌뇌를 개발시켜 줍니다. 10세 미만의 아이라면 바로 기탄한자로 아이의 두뇌개발을 도와 주세요.

## 다양한 놀잇감을 통한 입체적 놀이학습

기존의 주입식, 쓰기 일변도의 한자 학습법에서 벗어나 아이들의 오감을 자극하고 아이들이 학습의 주인공이 되는 부교재와 함께 학습합니다. 각 집(권)마다 한자 카드, 스티커는 물론, 한자어 카드와 모형 놀이, 창열기 놀이, 파노라마 놀이, 조각 한자 맞추기 놀이, 병풍 놀이, 브로마이드 등 패키지 학습물 수준의 놀잇감이 아이들의 학습을 재미로 이끌어 줍니다.

## 하나의 한자를 37회 연습하는 완전학습 프로그램

예를 들어 山(산/뫼 산)이라는 하나의 한자를 기탄한자 프로그램 내에서 총 37회의 학습 기회를 갖게 했습니다. 복습, 도입, 전개, 활용, 응용 등 다양한 학습의 장을 마련하여 아이들은 자신도 모르는 사이에 한자를 접하고 익히게 됩니다. 37회의 학습 기회는 한자를 완전학습으로 이끌어 주는 지름길이 됩니다.

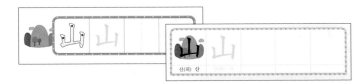

## 독립적인 복습호 운용과 학습 성취도 평가 시스템

4주마다 한 번씩 복습주를 편성하여 앞서 익힌 한자들을 기억하도록 구성하였습니다. 이미 학습한 한자를 시간의 흐름과 함께 잊어버리지 않도록 각 집(권)마다 1호씩 총복습의 기회를 갖게 합니다. 또, 복습호에서는 일정 기간 동안의 학습 성취도를 점검하는 형성평가를 구성하여 올바른 진도 진행을 도왔습니다. 엄마는 집(권)별 형성평가와 각 단계별 총괄평가를 통하여 우리 아이의 학습 상황을 점검하고 적절한 동기유발과 칭찬으로 진정한 엄마 선생님이 될 수 있습니다.

〈형성평가와 총괄평가〉

# 어렸을 때 배운 한자는 평생을 통해 활용됩니다
## 한자 학습의 중요성이 날로 높아지고 있습니다

## ● 한자 학습은 왜 필요할까요?

한자 학습은 이제 선택이 아닌 필수가 되었습니다. 우리의 언어 생활에 반드시 필요한 영역이라는 인식과 함께 한자가 지닌 학문적 전이성, 시대적 필요성 등이 새해석 되고 있기 때문입니다.

**첫째,** 우리말의 70% 이상이 한자어로 이루어졌기 때문에 기본적인 언어 생활에 도움을 줍니다. 곧 우리말을 바르게 이해하고 올바른 국어 생활을 하기 위해서는 한자를 아는 것이 필수적입니다.

**둘째,** 국어, 수학, 사회, 역사, 외국어 등 다른 학과 공부에 많은 도움을 줍니다. 예를 들어 수학을 공부할 때 분자(分子), 분모(分母), 분수(分數) 등 한자를 알고 있는 아이라면 수학의 개념도 훨씬 더 쉽고 정확하게 이해할 수 있습니다. 이렇게 한자는 타과목의 도구 교과적인 성격을 갖고 있습니다.

**셋째,** 어휘력과 이해력의 신장으로 문장 의미 파악이 쉬워져 책을 가까이 하는 아이로 만들어 줍니다. 한자는 조어력(造語力)과 의미 함축성이 매우 뛰어난 문자입니다. 이러한 이유로 전문서적이나 학술 용어 등은 한자로 표현되어 있습니다. 많은 양의 독서 경험은 곧 아이의 생각하는 힘과 창의력을 길러 줍니다.

**넷째,** 한자나 한문에는 선인들의 지혜와 윤리관이 배어 있어 바람직한 가치관과 예의범절을 배울 수 있습니다. 고전, 명문 속에 담긴 효행, 우애, 경로 등 사상적인 유산을 통해 바람직한 가치관을 가질 수 있고 나아가 사람이 해야 할 도리, 어른을 공경하는 자세, 학문을 배우는 자세 등도 익힐 수 있습니다.

## ● 한자 학습의 추세는 어떤가요?

한자 사용을 사대주의적 발상, 중국의 문자 차용이라고 보는 종전의 시각에서 벗어나 이제는 우리 언어의 일부라는 인식이 확대되어 초등학생부터 성인까지 한자 학습 열풍이 불고 있습니다.

**첫째,** 한자능력검정시험의 자격증이 국가 공인 자격증으로 인정됨에 따라 유아~성인에 이르기까지 한자 학습 붐이 일고 있습니다.

**둘째,** 21세기의 주역으로 한자 문화권이 급부상함에 따라 중국어, 일본어의 기초로서 한자 학습의 열기가 높아지고 있습니다. 한자는 세계인구의 1/4이 사용하고 있는 국제 문자로서 앞으로 그 중요성은 날로 높아질 것입니다.

**셋째,** 2005년부터 대학 수학 능력 시험 외국어 영역에 한문 과목이 추가되고 중·고등학교의 시험 출제 유형에서 논술 유형 출제 비중이 높아짐에 따라 한자 학습의 조기 교육이 일반화되어 가고 있는 상황입니다.

**넷째,** 대부분의 초등학교에서 재량시간으로 한자 학습을 시행하고 있습니다. 70년대 이후 한자 교육을 전혀 받지 못했던 부모님들과는 달리 현재 대부분의 초등학생들이 한자를 배우고 있습니다.

**다섯째,** 각종 공문서, 도로 표지판 등에 한자를 병기하는 국가 정책과 경제계, 교육계 등 각계의 한자 학습 요구에 대한 발표로 한자 학습의 중요성은 더욱 높아지고 있는 상황입니다.

# 한자 학습은 아이의 두뇌를 개발해 줍니다
# 한자 학습의 체계! 기탄한자가 잡아 줍니다

## ● 한자 학습의 효과는 무엇인가요?

▶ 한자는 그림에서 시작된 문자로서 구체적 이미지 자체가 곧 문자가 되었습니다. 이러한 시각적 이미지를 통한 학습은 곧 아동의 우뇌를 자극해 줍니다.

▶ 한자는 하나의 기초 개념에서 새로운 개념을 창출해 나갑니다. 이러한 과정을 통하여 아동의 창의력, 어휘력을 길러 줍니다.

▶ 한자는 저마다의 뜻, 소리, 모양을 각기 지닌 문자입니다. 이렇게 저마다의 뜻과 소리, 모양을 분석하는 연습을 통해 아동의 좌뇌 발달을 돕습니다.

▶ 한자는 부수와 몸이라는 수많은 부속품들의 조합으로 이루어진 문자입니다. 이러한 부속품들의 분리와 합체 과정을 통해 아이의 좌뇌를 발달하게 하고 논리력, 분석력을 키워 줍니다.

▶ 한자가 갖는 문자학적 특징은 조어력, 의미 함축성, 의미 명시성이 있습니다. 이미 만들어진 한자와 한자를 결합하여 새로운 단어를 만드는 조어력, 의미를 함축적으로 표현할 수 있는 의미 함축성, 의미가 바로 드러나는 의미 명시성이 있습니다.

한자 학습의 연구가 활발히 이루어지는 일본에서는 한자 학습의 시기가 빠를수록 좋다고 합니다. 그것은 우뇌 빌딩 시기인 6세 이전에 표의문자를 더 쉽게 받아들일 수 있으며, 초등학교 1학년 때가 가장 높은 효과를 보인다는 주장입니다. 그러므로 어른들의 관점으로 한자가 유아들에게 어렵다는 편견은 버려야 하며 한글을 어느 정도 읽을 수 있는 시기라면 한자 학습의 적기라고 할 수 있습니다.

## ● 기탄한자는 어떻게 구성되었나요?

▶ 기탄한자는 그림과 놀이로 시작하는 기초 한자 과정에서부터 고전명저의 명문장까지 한자 학습의 체계를 세우는 프로그램입니다. 중학교 교육용 한자 900자의 범위에서 기초한자(낱자)과정 ➜ 조어(교과서 한자어)과정 ➜ 문장(고전)과정의 학습까지 한자 학습의 체계를 세우는 학습목표로 개발되었습니다.

▶ 기초한자(낱자)과정(A단계~D단계)에서는 한자를 처음 시작하는 유아에서 한자 학습의 경험이 없는 초등학교 2학년생을 대상으로 상형자, 지사자 등 쉬운 개념의 기초한자 168자를 익히게 됩니다.
시각 이미지를 통한 그림한자의 각인과 다양한 부교재를 통한 놀이 학습으로 재미있게 학습하는 특성을 지니고 있습니다. 또, 최고의 일러스트와 세련된 디자인으로 아동의 정서적 심미감을 기를 수 있는 프로그램입니다. 기존의 한자 교재와는 차별화된 학습 효과를 얻을 수 있습니다.

▶ 조어(교과서 한자어)과정(E단계~G단계)에서는 총 90여권의 초등학교 교과서에 쓰인 모든 한자어를 사용 빈도와 한자 난이도에 따라 분석한 방대한 양의 데이터베이스를 갖추어 156자의 학습 한자와 530여 한자어를 선정하였습니다.

신출 한자와 이미 학습한 기출 한자를 조합하여 새로운 어휘를 만들어 내는 무궁무진한 조어(造語)의 원리를 아이가 스스로 깨달아 이해력과 어휘력이 높은 아이로 자라나게 해줍니다. 또 단편적인 한자 암기 학습에서 벗어나 국어, 수학, 사회, 과학 영역의 다양한 예문 학습과 창작 동화, 인물, 시, 신문, 고전이야기 등의 학습으로 학교 수업에 자신감을 길러 주고 나아가 어휘력, 사고력 향상으로 논술의 기초 능력까지 배양해 줍니다.

# A·B단계 교재별 구성내용은 이렇습니다

◆ 기탄한자 A단계 호별 학습 내용 및 부교재

| 집 | 호 | | 학습 한자 | 학습 한자어 | 부교재 |
|---|---|---|---|---|---|
| 1집 | 1 | 1a ~ 12a | 山, 川, 日 | 강山, 등山/ 하川, 산川/ 日기, 日월 | 한자 모형 놀이<br>한자 카드<br>한자어 카드 |
| | 2 | 13a ~ 24a | 月, 火, 水 | 반月, 月급/ 火산, 火재/ 水영장, 水요일 | |
| | 3 | 25a ~ 36a | 木, 金, 土 | 木수, 식木일/ 金구, 황金/ 국土, 土지 | |
| | 4 | 37a ~ 48a | 복습+놀이 학습 | 복습 | |
| 2집 | 5 | 49a ~ 60a | 一, 二, 三 | 一등, 통一/ 二층, 二학년/ 三각형, 三총사 | 한자 창열기 놀이<br>한자 카드<br>한자어 카드 |
| | 6 | 61a ~ 72a | 四, 五, 六 | 四방, 四계절/ 五선지, 五월/ 六학년, 六반 | |
| | 7 | 73a ~ 84a | 七, 八, 九 | 북두七성, 七면조/ 八도강산, 八방미인/ 九관조, 九구단 | |
| | 8 | 85a ~ 96a | 복습+놀이 학습 | 복습 | |
| 3집 | 9 | 97a ~ 108a | 十, 百, 千 | 十자가, 十월/ 百점, 百화점/ 千자문, 千리마 | 한자 파노라마 놀이<br>한자 카드<br>한자어 카드 |
| | 10 | 109a ~ 120a | 耳, 目, 口 | 耳목, 耳비인후과/ 제目, 면目/ 식口, 출입口 | |
| | 11 | 121a ~ 132a | 人, 手, 足 | 人간, 人형/ 手술, 선手/ 足구, 수足 | |
| | 12 | 133a ~ 144a | 복습+놀이 학습 | 복습 | |
| 4집 | 13 | 145a ~ 156a | 田, 石, 玉 | 유田, 대田/ 石공, 石굴암/ 백玉, 玉동자 | 한자 브로마이드<br>한자 카드 |
| | 14 | 157a ~ 168a | 力, 大, 小 | 인力거, 풍力/ 大학생, 大가족/ 小아과, 小인국 | |
| | 15 | 169a ~ 180a | 上, 中, 下 | 上의, 上행선/ 中국, 中심/ 下교, 下인 | |
| | 16 | 181a ~ 192a | 복습+총괄 평가+놀이 학습 | 복습 | |

◆ 기탄한자 B단계 호별 학습 내용 및 부교재

| 집 | 호 | | 학습 한자 | 학습 한자어 | 부교재 |
|---|---|---|---|---|---|
| 1집 | 1 | 1a ~ 12a | 犬, 牛, 羊 | 충犬, 애犬/ 牛유, 牛마차/ 羊모, 백羊 | 한자 모형 놀이<br>한자 카드<br>한자어 카드 |
| | 2 | 13a ~ 24a | 父, 母, 子 | 父모, 父자/ 母녀, 학부母/ 子녀, 여子 | |
| | 3 | 25a ~ 36a | 生, 心, 身 | 生일, 선生/ 心신, 안心/ 身체, 身장 | |
| | 4 | 37a ~ 48a | 복습+놀이 학습 | 복습 | |
| 2집 | 5 | 49a ~ 60a | 車, 士, 己 | 車도, 자전車/ 군士, 박士/ 자己, 극己 | 한자 창열기 놀이<br>한자 카드<br>한자어 카드 |
| | 6 | 61a ~ 72a | 自, 工, 門 | 自동차, 自연/ 목工, 工장/ 대門, 창門 | |
| | 7 | 73a ~ 84a | 刀, 王, 白 | 단刀, 은장刀/ 王자, 국王/ 白지, 흑白 | |
| | 8 | 85a ~ 96a | 복습+놀이 학습 | 복습 | |
| 3집 | 9 | 97a ~ 108a | 魚, 貝, 鳥 | 인魚, 魚항/ 貝물, 貝총/ 백鳥, 길鳥 | 한자 파노라마 놀이<br>한자 카드<br>한자어 카드 |
| | 10 | 109a ~ 120a | 主, 册, 雨 | 主인, 主객/ 册상, 공册/ 雨산, 雨의 | |
| | 11 | 121a ~ 132a | 風, 里, 竹 | 風차, 강風/ 里장, 里정표/ 竹림, 竹도 | |
| | 12 | 133a ~ 144a | 복습+놀이 학습 | 복습 | |
| 4집 | 13 | 145a ~ 156a | 草, 花, 馬 | 약草, 草가/ 무궁花, 花원/ 경馬장, 馬부 | 한자 브로마이드<br>한자 카드 |
| | 14 | 157a ~ 168a | 男, 女, 夕 | 男녀, 미男/ 소女, 선女/ 夕양, 추夕 | |
| | 15 | 169a ~ 180a | 舌, 齒, 面 | 작舌차, 舌음/ 齒과, 충齒/ 가面, 수面 | |
| | 16 | 181a ~ 192a | 복습+총괄 평가+놀이 학습 | 복습 | |

# C·D단계 교재별 구성내용은 이렇습니다

## ◆ 기탄한자 C단계 호별 학습 내용 및 부교재

| 집 | 호 | | 학습 한자 | 학습 한자어 | 부교재 |
|---|---|---|---|---|---|
| 1집 | 1 | 1a ~ 12a | 文, 化, 言, 才 | 文인, 文신/ 化석, 문化/ 言어, 言론/ 다才, 천才 | 한자 맞추기 놀이<br>한자 카드<br>한자어 카드 |
| | 2 | 13a ~ 24a | 兄, 弟, 交, 友 | 兄제, 학부兄/ 의형弟, 弟자/ 交통, 외交/ 交友, 전友 | |
| | 3 | 25a ~ 36a | 多, 少, 血, 肉 | 多정, 多소/ 少녀, 노少/ 심血, 血육/ 肉식, 肉신 | |
| | 4 | 37a ~ 48a | 복습+놀이 학습 | 복습 | |
| 2집 | 5 | 49a ~ 60a | 出, 入, 內, 外 | 出구, 出생/ 入구, 출入/ 국內, 차內/ 外국, 내外 | 한자 병풍 놀이<br>한자 카드<br>한자어 카드 |
| | 6 | 61a ~ 72a | 去, 來, 立, 坐 | 去래, 과去/ 來일, 미來/ 자立, 立동/ 정坐 | |
| | 7 | 73a ~ 84a | 光, 明, 行, 步 | 光명, 풍光/ 문明, 明월/ 산行, 行진/ 步병, 步행 | |
| | 8 | 85a ~ 96a | 복습+놀이 학습 | 복습 | |
| 3집 | 9 | 97a ~ 108a | 天, 地, 江, 河 | 天사, 天국/ 천地, 地구/ 江산, 江촌/ 河천, 은河수 | 한자 주사위 놀이<br>한자 카드<br>한자어 카드 |
| | 10 | 109a ~ 120a | 毛, 皮, 角, 蟲 | 毛피, 양毛/ 목皮, 皮혁/ 녹角, 직角/ 초蟲, 해蟲 | |
| | 11 | 121a ~ 132a | 古, 今, 衣, 食 | 古목, 古서/ 고今, 今일/ 우衣, 하衣/ 외食, 초食 | |
| | 12 | 133a ~ 144a | 복습+놀이 학습 | 복습 | |
| 4집 | 13 | 145a ~ 156a | 君, 臣, 兵, 卒 | 君주, 君신/ 臣하, 충臣/ 兵사, 兵력/ 卒병, 卒업 | 한자 브로마이드<br>한자 카드 |
| | 14 | 157a ~ 168a | 方, 向, 左, 右 | 지方, 方향/ 풍向, 남向/ 左우, 左향左/ 右회전, 좌右명 | |
| | 15 | 169a ~ 180a | 本, 末, 分, 合 | 근本, 本인/ 末일, 본末/ 分교, 分수/ 合창, 合심 | |
| | 16 | 181a ~ 192a | 복습+총괄 평가+놀이 학습 | 복습 | |

## ◆ 기탄한자 D단계 호별 학습 내용 및 부교재

| 집 | 호 | | 학습 한자 | 학습 한자어 | 부교재 |
|---|---|---|---|---|---|
| 1집 | 1 | 1a ~ 12a | 靑, 赤, 音, 色 | 靑산, 靑년/ 赤색, 赤십자/ 音악, 음音/ 백色, 色지 | 한자 맞추기 놀이<br>한자 카드<br>한자어 카드 |
| | 2 | 13a ~ 24a | 住, 所, 姓, 名 | 의식住, 住택/ 所감, 장所/ 姓명, 백姓/ 名작, 지名 | |
| | 3 | 25a ~ 36a | 利, 用, 有, 無 | 利용, 예利/ 공用, 식用/ 有명, 소有/ 無인도, 無례 | |
| | 4 | 37a ~ 48a | 복습+놀이 학습 | 복습 | |
| 2집 | 5 | 49a ~ 60a | 公, 平, 意, 思 | 公공, 公무원/ 平화, 平야/ 意견, 동意/ 思고, 思상 | 한자 병풍 놀이<br>한자 카드<br>한자어 카드 |
| | 6 | 61a ~ 72a | 老, 弱, 貧, 富 | 老인, 원老/ 弱세, 노弱/ 貧약, 貧혈/ 富귀, 富자 | |
| | 7 | 73a ~ 84a | 正, 直, 忠, 孝 | 正직, 正답/ 直선, 直각/ 忠성, 忠언/ 孝도, 孝녀 | |
| | 8 | 85a ~ 96a | 복습+놀이 학습 | 복습 | |
| 3집 | 9 | 97a ~ 108a | 前, 後, 走, 止 | 역前, 오前/ 오後, 식後/ 활走로, 경走/ 止혈, 금止 | 한자 주사위 놀이<br>한자 카드<br>한자어 카드 |
| | 10 | 109a ~ 120a | 法, 道, 完, 全 | 法률, 法원/ 道로, 道덕/ 完승, 完성/ 수국, 안全 | |
| | 11 | 121a ~ 132a | 善, 惡, 長, 短 | 善악, 善행/ 惡마, 惡몽/ 長검, 사長/ 장短, 短명 | |
| | 12 | 133a ~ 144a | 복습+놀이 학습 | 복습 | |
| 4집 | 13 | 145a ~ 156a | 世, 界, 國, 家 | 世계, 출世/ 외界, 정界/ 國왕, 國어/ 家족, 작家 | 한자 브로마이드<br>한자 카드 |
| | 14 | 157a ~ 168a | 東, 西, 見, 聞 | 東서남북, 東해/ 西구, 西부/ 발見, 見학/ 신聞, 풍聞 | |
| | 15 | 169a ~ 180a | 南, 北, 兒, 童 | 南극, 南대문/ 北극, 北상/ 유兒, 兒동/ 목童, 童화 | |
| | 16 | 181a ~ 192a | 복습+총괄 평가+놀이 학습 | 복습 | |

# E단계 교재별 구성내용은 이렇습니다

◆ 기탄교과서한자 E단계 호별 학습 내용 및 부교재

| 집 | 호 | | 학습 한자 | 학습 한자어 | | 심화 영역 | | 부교재 |
|----|----|----|----|----|----|----|----|----|
| 1집 | 1 | 1a~16a | 寸京品市 | 寸 : 四寸, 外三寸, 四寸間<br>品 : 食品, 用品, 作品 | 京 : 上京, 京畿道, 京仁線<br>市 : 市內, 市場, 市立 | 창작동화 | 소중한 지폐 한 장 1 | 한자 카드<br>쓰기보따리<br>형성평가 |
| | | | | | | 고사성어 | 水魚之交 | |
| | | | | | | 시 | 사랑스런 추억 - 윤동주 | |
| | 2 | 17a~32a | 巨具各曲 | 巨 : 巨人, 巨大, 巨木<br>各 : 各各, 各自, 各國 | 具 : 家具, 道具, 用具<br>曲 : 作曲, 曲線, 行進曲 | 창작동화 | 소중한 지폐 한 장 2 | |
| | | | | | | 고사성어 | 他山之石 | |
| | | | | | | 시 | 봄 - 빅토르 위고 | |
| | 3 | 33a~48a | 可由原因 | 可 : 可能, 可決, 不可能<br>原 : 原子力, 原因, 草原 | 由 : 自由, 由來, 理由<br>因 : 原因, 因果, 要因 | 창작동화 | 슬기로운 재판 1 | |
| | | | | | | 고사성어 | 見物生心 | |
| | | | | | | 시 | 절정 - 이육사 | |
| | 4 | 49a~64a | 복습 | 복습 | | 창작동화 | 슬기로운 재판 2 | |
| | | | | | | 고사성어 | 漁夫之利 | |
| | | | | | | 시 | 동방의 등불 - 타고르 | |
| 2집 | 5 | 65a~80a | 同求失反 | 同 : 同生, 同行, 合同<br>失 : 失手, 失明, 失言 | 求 : 求心力, 要求, 求人<br>反 : 反面, 反省, 反共 | 창작동화 | 닭이 사람과 함께 살게 된 이유 1 | 한자 카드<br>쓰기보따리<br>형성평가 |
| | | | | | | 고사성어 | 五十步百步 | |
| | | | | | | 시 | 접동새 - 김소월 | |
| | 6 | 81a~96a | 告共首民 | 告 : 忠告, 原告, 告白<br>首 : 自首, 首弟子, 首相 | 共 : 共同, 公共, 共生<br>民 : 市民, 國民, 民心 | 창작동화 | 닭이 사람과 함께 살게 된 이유 2 | |
| | | | | | | 고사성어 | 登龍門 | |
| | | | | | | 시 | 눈 내린 아침 - 이인로 | |
| | 7 | 97a~112a | 元先年回 | 元 : 元日, 元金, 元來<br>年 : 少年, 靑年, 一年 | 先 : 先生, 先山, 先王<br>回 : 一回用品, 河回, 回轉 | 창작동화 | 쇠를 먹는 쥐 1 | |
| | | | | | | 고사성어 | 馬耳東風 | |
| | | | | | | 시 | 눈 오는 저녁 - 김소월 | |
| | 8 | 113a~128a | 복습 | 복습 | | 창작동화 | 쇠를 먹는 쥐 2 | |
| | | | | | | 고사성어 | 白眉 | |
| | | | | | | 시 | 만돌이 - 윤동주 | |
| 3집 | 9 | 129a~144a | 不非未必 | 不 : 不足, 不公平, 不平<br>未 : 未安, 未來, 未完成 | 非 : 非行, 是非, 非常口<br>必 : 必要, 生必品, 不必要 | 창작동화 | 세 친구 1 | 한자 카드<br>쓰기보따리<br>형성평가 |
| | | | | | | 고사성어 | 多多益善 | |
| | | | | | | 시 | 삶이 그대를 속일지라도 - 푸슈킨 | |
| | 10 | 145a~160a | 知加字幸 | 知 : 知人, 知己, 告知<br>字 : 文字, 數字, 十字 | 加 : 加入, 加味, 加工<br>幸 : 多幸, 不幸, 幸福 | 창작동화 | 세 친구 2 | |
| | | | | | | 고사성어 | 聞一知十 | |
| | | | | | | 시 | 집 - 김영랑 | |
| | 11 | 161a~176a | 表形味香 | 表 : 表面, 表情, 表明<br>味 : 意味, 風味, 口味 | 形 : 人形, 三角形, 地形<br>香 : 香水, 香氣, 香 | 창작동화 | 꿀강아지 1 | |
| | | | | | | 고사성어 | 知音 | |
| | | | | | | 시 | 올벼 고개 숙이고 - 이현보 | |
| | 12 | 177a~192a | 복습 | 복습 | | 창작동화 | 꿀강아지 2 | |
| | | | | | | 고사성어 | 竹馬故友 | |
| | | | | | | 시 | 행복 - 한용운 | |
| 4집 | 13 | 193a~208a | 星軍相和 | 星 : 行星, 天王星, 北斗七星<br>相 : 首相, 人相, 色相 | 軍 : 軍人, 國軍, 軍士<br>和 : 平和, 和音, 共和國 | 창작동화 | 흰 코끼리의 전설 | 한자 카드<br>쓰기보따리<br>형성평가 |
| | | | | | | 고사성어 | 千里眼 | |
| | | | | | | 시 | 나그네의 밤 노래 - 괴테 | |
| | 14 | 209a~224a | 單別命祖 | 單 : 單元, 名單, 食單<br>命 : 生命, 人命, 命令 | 別 : 別名, 別世, 分別<br>祖 : 先祖, 祖上, 祖父母 | 창작동화 | 뱀이 기어 다니게 된 이유 1 | |
| | | | | | | 고사성어 | 朝三暮四 | |
| | | | | | | 시 | 말 없는 청산이오 - 성혼 | |
| | 15 | 225a~240a | 居章異再 | 居 : 住居, 居室, 同居<br>異 : 異常, 異意, 大同小異 | 章 : 文章, 圖章, 樂章<br>再 : 再生, 再活用, 再三 | 창작동화 | 뱀이 기어 다니게 된 이유 2 | |
| | | | | | | 고사성어 | 一擧兩得 | |
| | | | | | | 시 | 〈사랑〉을 사랑하여요 - 한용운 | |
| | 16 | 241a~256a | 복습 | 복습 | | 창작동화 | 뱀이 기어 다니게 된 이유 3 | |
| | | | | | | 고사성어 | 溫故知新 | |
| | | | | | | 시 | 삶의 아침인사 - 애너 리티셔 바볼드 | |

# F단계 교재별 구성내용은 이렇습니다

◆ 기탄교과서한자 F단계 호별 학습 내용 및 부교재

| 집 | 호 | 학습 한자 | 학습 한자어 | | 심화 영역 | | 부교재 |
|---|---|---|---|---|---|---|---|
| **1집** | 1 | 1a~16a | 仁 仙 信 休 | 仁 : 仁川, 仁祖, 仁君<br>信 : 信用, 自信, 信念 / 仙 : 仙女, 水仙花, 仙人<br>休 : 公休日, 休火山, 休息 | 창작동화 | 달밤에 얻은 행운 1 | 한자 카드<br>쓰기보따리<br>형성평가 |
| | | | | | 고사성어 | 天高馬肥 | |
| | | | | | 전래동화 | 빨간부채 파란부채 | |
| | 2 | 17a~32a | 安 宅 官 容 | 安 : 未安, 安心, 安全<br>官 : 法官, 官家, 外交官 / 宅 : 住宅, 自宅, 宅地<br>容 : 容恕, 内容, 美容 | 창작동화 | 달밤에 얻은 행운 2 | |
| | | | | | 고사성어 | 大器晩成 | |
| | | | | | 전래동화 | 사만년을 산 사람 | |
| | 3 | 33a~48a | 海 洋 漁 洗 | 海 : 地中海, 東海, 海外<br>漁 : 漁夫, 漁村, 出漁 / 洋 : 東洋, 西洋, 海洋<br>洗 : 洗手, 洗車, 洗面 | 창작동화 | 백일홍이야기 1 | |
| | | | | | 고사성어 | 孟母三遷 | |
| | | | | | 전래동화 | 소금을 만드는 맷돌 | |
| | 4 | 49a~64a | 복습 | 복습 | 창작동화 | 백일홍이야기 2 | |
| | | | | | 고사성어 | 蛇足 | |
| | | | | | 전래동화 | 우렁각시 | |
| **2집** | 5 | 65a~80a | 他 位 俗 保 | 他 : 他人, 他地, 自他<br>俗 : 民俗, 風俗, 世俗 / 位 : 方位, 品位, 單位<br>保 : 保全, 安保, 保有 | 창작동화 | 꾀 많은 장님 1 | 한자 카드<br>쓰기보따리<br>형성평가 |
| | | | | | 고사성어 | 梁上君子 | |
| | | | | | 전래동화 | 꼭두각시와 목두령 | |
| | 6 | 81a~96a | 守 室 客 定 | 守 : 守則, 保守, 守兵<br>客 : 主客, 客室, 客地 / 室 : 室内, 居室, 王室<br>定 : 一定, 決定, 安定 | 창작동화 | 꾀 많은 장님 2 | |
| | | | | | 고사성어 | 良藥苦於口 | |
| | | | | | 전래동화 | 잊으라 한 건 안 잊고 | |
| | 7 | 97a~112a | 林 村 材 校 | 林 : 山林, 國有林, 竹林<br>材 : 木材, 石材, 人材 / 村 : 山村, 漁村, 民俗村<br>校 : 下校, 校長, 校門 | 창작동화 | 바보 영웅 이야기 1 | |
| | | | | | 고사성어 | 座右銘 | |
| | | | | | 전래동화 | 반쪽이 | |
| | 8 | 113a~128a | 복습 | 복습 | 창작동화 | 바보 영웅 이야기 2 | |
| | | | | | 고사성어 | 矛盾 | |
| | | | | | 전래동화 | 고양이와 푸른 구슬 | |
| **3집** | 9 | 129a~144a | 決 洞 注 流 | 決 : 決定, 決心, 可決<br>注 : 注文, 注意, 注目 / 洞 : 洞口, 洞長, 仁寺洞<br>流 : 上流, 交流, 流行 | 창작동화 | 괴물 잡은 이발사 | 한자 카드<br>쓰기보따리<br>형성평가 |
| | | | | | 고사성어 | 同床異夢 | |
| | | | | | 전래동화 | 임자가 따로 있는 요술 궤짝 | |
| | 10 | 145a~160a | 便 作 使 代 | 便 : 便利, 便安, 大便<br>使 : 使用, 天使, 使臣 / 作 : 作心三日, 作用, 作品<br>代 : 古代, 代表, 代身 | 창작동화 | 수수께끼 하나 | |
| | | | | | 고사성어 | 結草報恩 | |
| | | | | | 전래동화 | 배나무골 이도령 | |
| | 11 | 161a~176a | 念 志 感 想 | 念 : 信念, 記念, 一念<br>感 : 共感, 自信感, 所感 / 志 : 意志, 同志, 志士<br>想 : 回想, 思想, 感想 | 창작동화 | 행운을 찾아다니는 사나이 1 | |
| | | | | | 고사성어 | 井中之蛙 | |
| | | | | | 전래동화 | 하늘 나라 밭 구경 | |
| | 12 | 177a~192a | 복습 | 복습 | 창작동화 | 행운을 찾아다니는 사나이 2 | |
| | | | | | 고사성어 | 近墨者黑 | |
| | | | | | 전래동화 | 솜뭉치 꼬리가 된 토끼 | |
| **4집** | 13 | 193a~208a | 計 記 語 詩 | 計 : 時計, 合計, 生計<br>語 : 用語, 國語, 言語 / 記 : 日記, 記入, 記念<br>詩 : 童詩, 詩人, 三行詩 | 창작동화 | 그림자 없는 탑 1 | 한자 카드<br>쓰기보따리<br>형성평가 |
| | | | | | 고사성어 | 有備無患 | |
| | | | | | 전래동화 | 은혜 깊은 까치 | |
| | 14 | 209a~224a | 情 性 進 造 | 情 : 人情, 友情, 心情<br>進 : 行進, 進出, 先進國 / 性 : 性品, 性情, 女性<br>造 : 造成, 造形, 人造 | 창작동화 | 그림자 없는 탑 2 | |
| | | | | | 고사성어 | 走馬看山 | |
| | | | | | 전래동화 | 두 개가 된 금덩이 | |
| | 15 | 225a~240a | 始 好 雲 雪 | 始 : 始作, 元始, 始祖<br>雲 : 星雲, 白雲, 靑雲 / 好 : 同好人, 好意, 好感<br>雪 : 白雪, 雪景, 雪山 | 창작동화 | 그림자 없는 탑 3 | |
| | | | | | 고사성어 | 螢雪之功 | |
| | | | | | 전래동화 | 구렁이 신랑 | |
| | 16 | 241a~256a | 복습 | 복습 | 창작동화 | 그림자 없는 탑 4 | |
| | | | | | 고사성어 | 苦盡甘來 | |
| | | | | | 전래동화 | 바리공주 | |

# G단계 교재별 구성내용은 이렇습니다

◆ 기탄교과서한자 G단계 호별 학습 내용 및 부교재

| 집 | 호 | 학습 한자 | 학습 한자어 | 심화 영역 | | 부교재 |
|---|---|---|---|---|---|---|
| 1집 | 1 | 1a~16a | 果實夫婦美 | 果:成果, 果實, 靑果, 無花果 實:行實, 實力, 實生活, 口實 夫:工夫, 夫子, 夫人, 漁夫 婦:主婦, 夫婦, 婦人, 婦女子 美:美化員, 美國人, 美人, 美化 | 인물 | 마크 트웨인 | 한자 카드 쓰기보따리 형성평가 |
| | | | | | 창작동화 | 소가 골라준 새 신랑 1 | |
| | | | | | 고사성어 | 改過遷善 | |
| | | | | | 기사문 | 돈 더 버는 아내 집안일 더 한다 | |
| | 2 | 17a~32a | 重要活動得 | 重:重要, 所重, 貴重, 重大 要:必要, 主要, 要求, 要所 活:活用, 生活, 活字, 活力 動:活動, 行動, 動力, 動作 得:所得, 利得, 得失 | 인물 | 어네스트 톰슨 시튼 | |
| | | | | | 창작동화 | 소가 골라준 새 신랑 2 | |
| | | | | | 고사성어 | 錦衣還鄕 | |
| | | | | | 기사문 | 컬러식품 좋아졌아 | |
| | 3 | 33a~48a | 夜景成功者 | 夜:夜食, 白夜, 夜光, 夜行 景:風景, 光景, 山景, 雪景 成:成長, 作成, 合成, 完成 功:成功, 功臣, 年功, 功力 者:記者, 富者, 步行者, 老弱者 | 인물 | 에디슨 | |
| | | | | | 창작동화 | 소가 골라준 새 신랑 3 | |
| | | | | | 고사성어 | 管鮑之交 | |
| | | | | | 기사문 | 日 간사이 5색 체험관광 | |
| | 4 | 49a~64a | 복습 | 복습 | 인물 | 퀴리부인 | |
| | | | | | 창작동화 | 소가 골라준 새 신랑 4 | |
| | | | | | 고사성어 | 刻舟求劍 | |
| | | | | | 기사문 | 재교육기관 노크 해보자 | |
| 2집 | 5 | 65a~80a | 時間空氣集 | 時:日時, 時代, 同時, 時計 間:人間, 山間, 時間, 中間 空:空中, 空間, 空册, 空想 氣:空氣, 香氣, 日氣, 大氣 集:文集, 集中, 詩集, 集合 | 인물 | 장영실 | 한자 카드 쓰기보따리 형성평가 |
| | | | | | 창작동화 | 거짓말 시합 1 | |
| | | | | | 고사성어 | 刮目相對 | |
| | | | | | 기사문 | 귀성길 차 안에서 게임 한판 | |
| | 6 | 81a~96a | 現在協商事 | 現:表現, 現金, 現地, 出現 在:現在, 所在, 在京, 在來 協:協同, 協力, 協心, 協定 商:商人, 商品, 商去來, 協商 事:人事, 行事, 工事, 記事 | 인물 | 록펠러 | |
| | | | | | 창작동화 | 거짓말 시합 2 | |
| | | | | | 고사성어 | 吳越同舟 | |
| | | | | | 기사문 | 폴크스바겐 노·사 대협상 | |
| | 7 | 97a~112a | 社會技能部 | 社:社長, 會社, 社交, 入社 會:大會, 社會, 面會, 立會 技:長技, 技法, 技術, 技能 能:技能, 能力, 可能, 才能 部:部分, 一部分, 外部, 一部 | 인물 | 콜럼버스 | |
| | | | | | 창작동화 | 말 잘 듣는 효자 1 | |
| | | | | | 고사성어 | 羊頭狗肉 | |
| | | | | | 기사문 | 국가중대사 국민합의가 필요 | |
| | 8 | 113a~128a | 복습 | 복습 | 인물 | 앙리 뒤낭 | |
| | | | | | 창작동화 | 말 잘 듣는 효자 2 | |
| | | | | | 고사성어 | 完璧 | |
| | | | | | 기사문 | 시동 걸면 주행정보 쫙~ | |
| 3집 | 9 | 129a~144a | 問答登場省 | 問:問安, 問題, 反問 答:問答, 答信, 正答, 回答 登:登山, 登校, 登用 場:市場, 工場, 入場, 場面 省:反省, 自省, 省墓 | 인물 | 리스트 | 한자 카드 쓰기보따리 형성평가 |
| | | | | | 창작동화 | 냄새 맡은 값 1 | |
| | | | | | 고사성어 | 指鹿爲馬 | |
| | | | | | 기사문 | 침체의 잠에 취한 라인강의 기적 | |
| | 10 | 145a~160a | 春夏秋冬溫 | 春:春川, 春香, 立春, 靑春 夏:立夏, 春夏, 夏至 秋:秋夕, 秋風 冬:冬至, 立冬, 春夏秋冬 溫:氣溫, 溫室, 溫水 | 인물 | 김홍도 | |
| | | | | | 창작동화 | 냄새 맡은 값 2 | |
| | | | | | 고사성어 | 塞翁之馬 | |
| | | | | | 기사문 | 스키장 잘 넘어져야 안 다친다 | |
| | 11 | 161a~176a | 貴愛病死敬 | 貴:貴重, 高貴, 富貴, 貴人 愛:友愛, 愛國, 愛人, 愛犬 病:問病, 白血病, 病室, 病名 死:生死, 死亡者, 不死身, 病死 敬:恭敬, 敬老, 敬老席, 敬語 | 인물 | 안중근 | |
| | | | | | 창작동화 | 아버지의 유서 1 | |
| | | | | | 고사성어 | 難兄難弟 | |
| | | | | | 기사문 | 은행나무 천국 부석사 가는길 | |
| | 12 | 177a~192a | 복습 | 복습 | 인물 | 황희 | |
| | | | | | 창작동화 | 아버지의 유서 2 | |
| | | | | | 고사성어 | 四面楚歌 | |
| | | | | | 기사문 | 서울과 워싱턴 마음을 열 때다 | |
| 4집 | 13 | 193a~208a | 物件發電書 | 物:古物, 文物, 人物 件:物件, 事件, 用件 發:發生, 出發, 發明, 發見 電:電力, 電子, 電車, 電氣 書:文書, 古書, 書名 | 인물 | 벤자민 프랭클린 | 한자 카드 쓰기보따리 형성평가 |
| | | | | | 창작동화 | 선행과 쾌락 1 | |
| | | | | | 고사성어 | 三顧草廬 | |
| | | | | | 기사문 | 대한민국은 배달천국 | |
| | 14 | 209a~224a | 高低苦樂朝 | 高:高音, 高溫, 高貴, 高見 低:低溫, 低下, 低利, 低學年 苦:苦生, 苦心, 苦行 樂:音樂, 安樂, 樂山 朝:王朝, 朝夕, 朝會 | 인물 | 루소 | |
| | | | | | 창작동화 | 선행과 쾌락 2 | |
| | | | | | 고사성어 | 脣亡齒寒 | |
| | | | | | 기사문 | 중소기업 그곳에도 길이 있다 | |
| | 15 | 225a~240a | 眞理學習賞 | 眞:眞情, 眞空, 眞心 理:心理, 原理, 眞理, 一理 學:學年, 學生, 入學, 見學 習:學習, 風習, 自習 賞:賞品, 孝行賞, 大賞, 賞金 | 인물 | 전봉준 | |
| | | | | | 창작동화 | 아가씨와 우유 1 | |
| | | | | | 고사성어 | 守株待兎 | |
| | | | | | 기사문 | 들리지! 눈 쌓은 술 생명의 소리 | |
| | 16 | 241a~256a | 복습 | 복습 | 인물 | 뢴트겐 | |
| | | | | | 창작동화 | 아가씨와 우유 2 | |
| | | | | | 고사성어 | 臥薪嘗膽 | |
| | | | | | 기사문 | 물건값 계산 … 약도 그리기 … | |

# 학부모 여러분, 〈기탄한자〉는 이렇게 지도해 주세요

## 1 학습자의 능력보다 낮은 단계에서 시작하세요.

기탄한자 A~G단계는 기초 한자부터 초등학교 교과서에 쓰인 한자어를 학습하는 프로그램입니다. 한글을 아는 유아에서부터 한자 학습의 경험이 있는 초등학교 6학년 학생을 대상으로 개발되었습니다. 그러나 한자 학습의 경험이 있는 아이라도, 학습자의 경험이나 능력보다 낮은 단계에서 시작하는 것이 바람직합니다. 특히 각 단계의 1집부터 순차적으로 학습해 나가는 것은 매우 중요합니다. 간혹 학부모님의 판단에 따라 단계의 생략은 가능하지만 2, 3집부터 시작하는 것은 옳지 않은 진도 진행입니다. 아이가 학습에 부담을 느끼지 않고 한자 공부는 쉽고 재미있다는 느낌을 가질 수 있도록 A단계 1집에서부터 시작하는 것이 가장 이상적인 출발점입니다.

## 2 복습호는 반드시 부모님이 함께 해 주세요.

각 집(권)마다 앞서 배운 한자의 복습호가 구성되어 있습니다. 복습호에서는 항상 형성평가를 실시하여 학습 수용도를 점검합니다. 이 때 부모님이 반드시 채점을 해 주시고, 결과에 따라 적절한 칭찬과 동기유발이 필요합니다. 또 복습주마다 구성된 놀잇감(A~D단계)으로 아이와 함께 놀아 주세요.

## 3 교재 구입 즉시 분책하여 사용하세요.

〈기탄한자〉는 구입 즉시 분책하여 사용할 수 있도록 매주 학습할 분량이 별도의 책으로 특수제본(4in1시스템)되어 있습니다. 보통 책은 1번 제본하는 것으로 끝나지만 〈기탄한자〉는 무려 5번의 제본 과정을 거쳐 제작되었습니다. 각 호가 끝날 때마다 새 책으로 공부하게 되므로 아이에게 성취감과 기대감을 갖게 하고 학습 효과도 극대화시켜 줍니다.

## 4 매일 일정한 시간에 규칙적으로 학습하게 하세요.

하루 5~10분을 학습하더라도 규칙적으로 학습하는 것이 중요합니다. 1호 분량이 1주일(5일) 학습 분량이므로 한번에 억지로 하지 않게 하고, 반대로 너무 많은 양을 한꺼번에 하는 것도 좋지 않습니다. 어렸을 때부터 조금씩 매일매일 공부하는 습관을 길러 주도록 합니다.

## 5 부모님이 직접 지도해 주세요.

〈기탄한자〉는 교사 방문 학습지와는 달리 아이 스스로 공부하고 부모님이 체크하는 자율적인 학습 모델을 채택하고 있습니다. 따라서 타 학습지 회사에서는 지도교사에게만 제공하는 지도 지침을 해당 호에 상세히 실었습니다. 각 호의 첫 장에 실린 '이렇게 도와주세요', '이번 주 학습포인트'에서는 한 주 동안의 지도 요점이 기재되어 있고, 각 페이지의 하단에도 지도 요점, 주의 사항 등을 기재하였습니다. 학부모님들이 〈기탄한자〉의 기획의도, 학습목표, 지도방법 등을 쉽게 이해하고 아이들에게 가르치기 편하도록 최대한 배려하였습니다.

## 6 이미 익힌 한자는 아이가 실생활 속에서 활용하게 하세요.

아이가 이미 익힌 한자는 실생활 속에서 최대한 많은 사용 기회를 갖게 해 줍니다. 알았던 한자도 오랫동안 사용하지 않으면 잊혀지게 됩니다. 학습된 한자를 신문, 책, 대중매체, 인쇄물 등을 활용하여 확인하게 하고 글을 쓸 때 알고 있는 한자로 표현해 볼 기회를 자주 갖도록 합니다.

# 단계별 학습 한자와 한자능력검정시험 급수 배정 안내

| 단계 | 학습 한자 | 급수 응시 가이드 |
|---|---|---|
| **A단계** | • 8급 : 山, 日, 月, 火, 水, 木, 金, 土, 一, 二, 三, 四, 五, 六, 七, 八, 九, 十, 人, 大, 小, 中<br>• 7급 : 川, 百, 千, 口, 手, 足, 力, 上, 下<br>• 6급 · 6급II : 目, 石 • 5급 : 耳 • 4급II : 田, 玉 | A단계에서는 상형자, 지사자 중심의 기초한자 36자를 익혔습니다.<br>이는 한자능력검정시험 배정한자 중 **8급, 7급 배정한자 31자**와 **상위급수 한자 5자**가 포함됩니다. 학습자의 학년, 나이, 학습수용도에 따라 8급, 7급 이내에서 응시용 수험서(기탄급수한자 빨리따기)로 준비한 후 자격증 취득에 도전해 보세요. |
| **B단계** | • 8급 : 父, 母, 生, 門, 王, 白, 女<br>• 7급 : 子, 心, 車, 自, 工, 主, 里, 草, 花, 男, 夕, 面<br>• 6급 · 6급II : 身, 風 • 5급 : 牛, 士, 己, 魚, 雨, 馬<br>• 4급II : 羊, 鳥, 竹, 齒 • 4급 : 犬, 册, 舌<br>• 3급II : 刀 • 3급 : 貝 | B단계에서는 상형자, 지사자 중심의 기초한자 36자를 익혔습니다.<br>이는 A단계 학습 한자부터 누적하면 한자능력검정시험 배정한자 중 **8급, 7급 배정한자 50자**와 **상위급수 한자 22자**가 포함됩니다. 학습자의 학년, 나이, 학습수용도에 따라 8급, 7급 이내에서 응시용 수험서(기탄급수한자 빨리따기)로 준비한 후 자격증 취득에 도전해 보세요. |
| **C단계** | • 8급 : 兄, 弟, 外<br>• 7급 : 文, 少, 出, 入, 內, 來, 立, 天, 地, 江, 食, 方, 左, 右<br>• 6급 · 6급II : 言, 才, 交, 多, 光, 明, 行, 角, 古, 今, 衣, 向, 本, 分, 合<br>• 5급 : 化, 友, 去, 河, 臣, 兵, 卒, 末<br>• 4급II : 血, 肉, 步, 毛, 蟲 • 4급 : 君 • 3급II : 坐, 皮 | C단계에서는 형성자, 회의자를 중심으로 48자의 기초한자를 익혔습니다.<br>이는 A단계 학습 한자부터 누적하면 한자능력검정시험 배정한자 중 **7급 배정한자 67자, 6급 · 6급II 배정한자 86자**와 **상위급수 한자 34자**를 익혔습니다. 학습자의 학년, 나이, 학습수용도에 따라 7급, 6급 · 6급II 이내에서 응시용 수험서(기탄급수한자 빨리따기)로 준비한 후 자격증 취득에 도전해 보세요. |
| **D단계** | • 8급 : 靑, 長, 國, 東, 西, 南, 北<br>• 7급 : 色, 住, 所, 姓, 名, 有, 平, 老, 正, 直, 孝, 前, 後, 道, 全, 世, 家<br>• 6급 · 6급II : 音, 利, 用, 公, 意, 弱, 短, 界, 聞, 童<br>• 5급 : 赤, 無, 思, 止, 法, 完, 善, 惡, 見, 兒<br>• 4급II : 貧, 富, 忠, 走 | D단계에서는 형성자, 회의자를 중심으로 48자의 기초한자를 익혔습니다.<br>이는 A단계 학습 한자부터 누적하면 한자능력검정시험 배정한자 중 **7급 배정한자 91자, 6급 · 6급II 배정한자 120자**와 **상위급수 한자 48자**를 익혔습니다. 학습자의 학년, 나이, 학습수용도에 따라 7급, 6급 · 6급II 이내에서 응시용 수험서(기탄급수한자 빨리따기)로 준비한 후 자격증 취득에 도전해 보세요. |
| **E단계** | • 8급 : 寸, 民, 先, 年, 軍 • 7급 : 市, 同, 不, 字, 命, 祖<br>• 6급 · 6급II : 京, 各, 由, 失, 反, 共, 幸, 表, 形, 和, 別, 章<br>• 5급 : 品, 具, 曲, 可, 原, 因, 告, 首, 元, 必, 知, 加, 相, 再<br>• 4급II : 求, 回, 非, 未, 味, 香, 星, 單 • 4급 : 巨, 居, 異 | E단계에서는 형성자, 회의자를 중심으로 48자의 필수한자를 익혔습니다.<br>이는 A단계 학습 한자부터 누적하면 한자능력검정시험 배정한자 중 **7급 배정한자 102자, 6급 · 6급II 배정한자 143자**와 **상위급수 한자 73자**를 익혔습니다. 학습자의 학년, 나이, 학습수용도에 따라 6급 · 6급II, 5급 이내에서 응시용 수험서(기탄급수한자 빨리따기)로 준비한 후 자격증 취득에 도전해 보세요. |
| **F단계** | • 8급 : 室, 校 • 7급 : 休, 安, 海, 林, 村, 洞, 便, 記, 語<br>• 6급 · 6급II : 信, 洋, 定, 注, 作, 使, 代, 感, 計, 始, 雪<br>• 5급 : 仙, 宅, 漁, 洗, 他, 位, 客, 材, 決, 流, 念, 情, 性, 雲<br>• 4급II : 官, 容, 俗, 保, 守, 志, 想, 詩, 進, 造, 好<br>• 4급 : 仁 | F단계에서는 형성자, 회의자를 중심으로 48자의 필수한자를 익혔습니다.<br>이는 A단계 학습 한자부터 누적하면 한자능력검정시험 배정한자 중 **7급 배정한자 113자, 6급 · 6급II 배정한자 165자**와 **상위급수 한자 99자**를 익혔습니다. 학습자의 학년, 나이, 학습수용도에 따라 6급 · 6급II, 5급 이내에서 응시용 수험서(기탄급수한자 빨리따기)로 준비한 후 자격증 취득에 도전해 보세요. |
| **G단계** | • 8급 : 學<br>• 7급 : 夫, 重, 活, 動, 時, 間, 空, 氣, 事, 問, 答, 登, 場, 春, 夏, 秋, 冬, 物, 電<br>• 6급 · 6급II : 果, 美, 夜, 成, 功, 者, 集, 現, 在, 社, 會, 部, 省, 溫, 愛, 病, 死, 發, 書, 高, 苦, 樂, 朝, 理, 習<br>• 5급 : 實, 要, 景, 商, 技, 能, 貴, 敬, 件, 賞<br>• 4급II : 婦, 得, 協, 低, 眞 | G단계에서는 형성자, 회의자를 중심으로 60자의 필수한자를 익혔습니다.<br>이는 A단계 학습 한자부터 누적하면 한자능력검정시험 배정한자 중 **7급 배정한자 133자, 6급 · 6급II 배정한자 210자**와 **상위급수 한자 114자**를 익혔습니다. 학습자의 학년, 나이, 학습수용도에 따라 6급 · 6급II, 5급 이내에서 응시용 수험서(기탄급수한자 빨리따기)로 준비한 후 자격증 취득에 도전해 보세요. |

※ 이 표는 기탄한자 학습 후 한자능력검정시험 자격증 취득의 연계를 위한 지침입니다. 학습자의 학습경험이나 상태에 따라 개별적인 지침이 달라질 수 있습니다.

기탄한자 A단계 3집 97a~108a

## **4** *in***1** 시스템

**기탄한자는 학습효과를 극대화하기 위해 매주 학습할 분량이
별도의 책으로 특수제본되어 있습니다.**

본 교재는 1권의 책 속에 1주일 학습할 분량의 교재 4권이 들어 있는
4 in 1 시스템으로 제본되어 있습니다. 따라서 4권의 책으로 분리되는
것이 정상적인 제본이며, 호별로 빼내어 학습하시면 아주 효과적입니다.

그림으로 익히고 놀이로 기억하는 입체 한자 학습 프로그램

A3집
9호
97a-108a

# 기탄® 한자

공부한 날    월    일 ~    월    일

(원)교             반

이름             전화

www.gitan.co.kr

G 기탄교육
기초 탄탄한 교육 · 기초 탄탄한 학습

**A**단계에서 배울 한자입니다.

| A단계 | | | | | | | |
|---|---|---|---|---|---|---|---|
| 1집 | 山, 川, 日<br>月, 火, 水<br>木, 金, 土 | 2집 | 一, 二, 三<br>四, 五, 六<br>七, 八, 九 | 3집 | 十, 百, 千<br>耳, 目, 口<br>人, 手, 足 | 4집 | 田, 石, 玉<br>力, 大, 小<br>上, 中, 下 |
| | 복습 | | 복습 | | 복습 | | 복습 |

※ 매주마다 학습한 한자를 누적하여 읽어 보세요.

## 학습진단관리표

| | 훈음 읽기 | 훈음 쓰기 | 한자 쓰기 | 한자어 읽기 | 이번 주는? |
|---|---|---|---|---|---|
| 금주평가 | Ⓐ 아주 잘함 | Ⓐ 아주 잘함 | Ⓐ 아주 잘함 | Ⓐ 아주 잘함 | ● 학습방법  ❶ 매일매일  ❷ 가끔  ❸ 한꺼번에 하였습니다. |
| | Ⓑ 잘함 | Ⓑ 잘함 | Ⓑ 잘함 | Ⓑ 잘함 | ● 학습태도  ❶ 스스로 잘  ❷ 시켜서 억지로 하였습니다. |
| | Ⓒ 보통 | Ⓒ 보통 | Ⓒ 보통 | Ⓒ 보통 | ● 학습흥미  ❶ 재미있게  ❷ 싫증내며 하였습니다. |
| | Ⓓ 노력해야 함 | Ⓓ 노력해야 함 | Ⓓ 노력해야 함 | Ⓓ 노력해야 함 | ● 교재내용  ❶ 적합하다고  ❷ 어렵다고  ❸ 쉽다고 하였습니다. |

지도 교사가 부모님께 | 부모님이 지도 교사께

| 종합평가 | Ⓐ 아주 잘함 | Ⓑ 잘함 | Ⓒ 보통 | Ⓓ 노력해야 함 |
|---|---|---|---|---|

이번 주에는 十 (열 십), 百 (일백 백), 千 (일천 천)을 배워요.

이렇게 **도와** 주세요

**1** 일차 97a~98b
- 지난 호에서 학습한 七, 八, 九를 복습합니다.
- 동화를 읽고 十, 百, 千의 뜻을 이야기해 봅니다.
- 한자 카드나 받아쓰기로 앞서 배운 한자를 복습합니다.

**2** 일차 99a~101b
- 큰 수의 개념인 百, 千의 양적인 감각이 없는 유아의 경우 수량을 먼저 깨닫게 도와 줍니다.
- 百은 白(흰 백)과 千은 干(방패 간), 于(어조사 우)와 구별하게 합니다.

**3** 일차 102a~103b
- 十, 百, 千의 3요소(뜻, 소리, 모양)를 학습합니다.
- — ~ 千 까지 배운 한자를 활용해서 숫자나 날짜, 주소 등을 쓰도록 지도합니다.

**4** 일차 104a~105b
- 미로찾기, 한자 직관, 숨은 한자 찾기 등을 통해 쓰고 외우는 방법이 아닌 놀이하듯 한자를 익히게 합니다.

**5** 일차 106a~108a
- 十, 百, 千학습을 마무리하고, 한자 보따리와 재미로 놀기를 통하여 흥미를 느끼게 지도합니다.
- 한자 카드는 고리에 끼워서 모아 두고 매일 잠깐씩 보여 줍니다.

그림 한자를 보고 빈 칸에 알맞게 쓰세요.

일곱 을 뜻합니다.

□ 이라고 읽습니다.

□ 을 뜻합니다.

□ 이라고 읽습니다.

□ 을 뜻합니다.

구 라고 읽습니다.

● 고추 일곱 개, 꽃 여덟 송이, 가시 아홉 개의 관련 요소를 먼저 찾아 보도록 합니다.

한자와 뜻을 이어 보고 빈 칸에 알맞은 소리를 쓰세요.

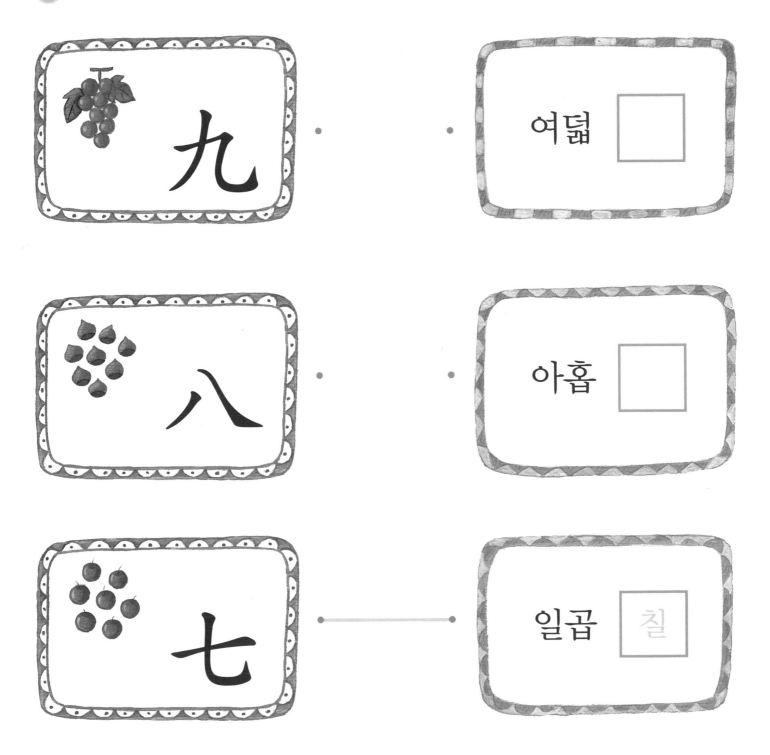

• 지난 주에 익힌 한자를 복습합니다. 七, 八, 九 뿐만 아니라 一부터 九까지 익혀 봅니다.

어떤 한자를 배울까요? 동화를 읽고 스티커를 붙여 알아보세요.

# 백화점에서

엄마와 함께 **백(百)** 화점에 갔어요.
**십(十)** 자 교차로를 지나 도착했어요.

• 十, 百, 千에 대한 개념만을 익힙니다. 3요소는 전개 부분인 알아보기에서 학습합니다.

엄마가 내옷을 샀어요.
곰인형이 그려진 예쁜 윗옷이에요.
나는 모아 둔 **천(千)**원 짜리 3장을
엄마께 드렸어요.
엄마 얼굴이 해님처럼 환해졌어요.

🔊 빈 곳에 알맞은 스티커를 붙이고 한자의 뜻과 소리를 읽어 보세요.

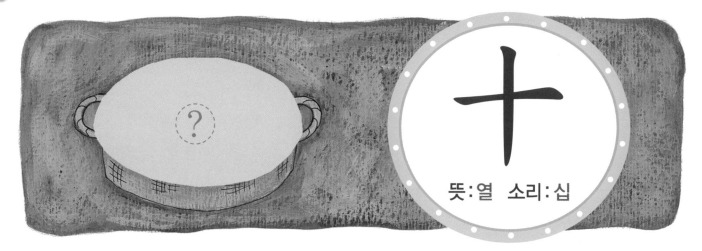

뜻:열  소리:십

📝 十이 만들어진 유래를 알아보고 한자 스티커를 붙이세요.

하나의 세로선으로 열을 표시하다가, 가로선 하나와 세로선 하나를 서로 교차시켜 만든 한자입니다.

✏️ 순서대로 써 보세요.

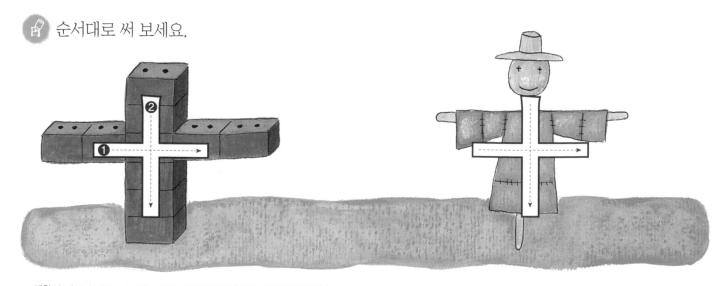

• 생활 속에서 쉽게 볼 수 있는 十자 모양을 아이와 함께 이야기해 봅니다.

알맞은 뜻, 소리, 모양을 찾아 ◯하세요.

- 十의 뜻은 (열) 일곱 입니다.
- 十의 소리는 칠 (십) 입니다.
- 열 십의 모양은 (十) 七 입니다.

十이 쓰인 한자어를 찾아 ◯하세요.

十자가    十월    三각형    강山

필순에 맞게 十을 써 보세요.

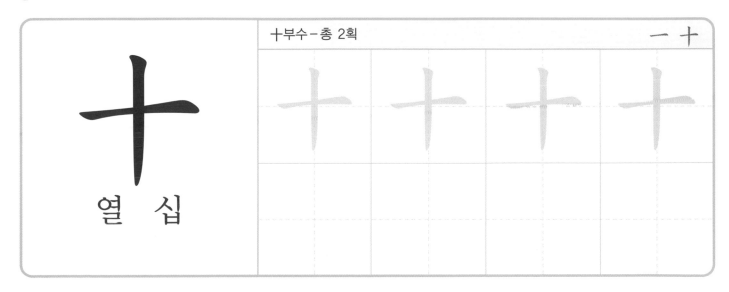

十
열 십

十부수-총 2획                                          一 十

十  十  十  十

● '뜻은? 열', '소리는? 십' 하고 뜻과 소리를 구분합니다. 十월은 '십월'이 아닌 '시월'로 읽습니다.

 百 알아보기

🔊 빈 곳에 알맞은 스티커를 붙이고 한자의 뜻과 소리를 읽어 보세요.

百

뜻 : 일백    소리 : 백

📖 百이 만들어진 유래를 알아보고 한자 스티커를 붙이세요.

본래 白으로 '희다'와 '백이라는 숫자'를 나타내다가, 白위에 가로선을 그어서 수가 많다는 뜻의 한자가 되었습니다.

✏️ 순서대로 써 보세요.

● 모양이 비슷한 '白(흰 백)'과 구별합니다.

🖉 알맞은 뜻, 소리, 모양을 찾아 ◯ 하세요.

- 百의 뜻은 **십** **일백** 입니다.
- 百의 소리는 **백** **사** 입니다.
- 일백 백의 모양은 **百** **五** 입니다.

🖉 百이 쓰인 한자어를 찾아 ◯ 하세요.

 식木일   百점   百화점   반月

🖉 필순에 맞게 百을 써 보세요.

| 百<br>일백 백 | 白부수 – 총 6획　　　　一 丆 丆 百 百 百 |
|---|---|
| | 百　百　百　百 |
| | |

• 뜻과 소리, 모양을 익히고 百으로 이루어진 한자어를 알아봅니다. (예 : 백성, 백과 사전, 백년 …)

 千 알아보기

🔈 빈 곳에 알맞은 스티커를 붙이고 한자의 뜻과 소리를 읽어 보세요.

뜻 : 일천   소리 : 천

📖 千이 만들어진 유래를 알아보고 한자 스티커를 붙이세요.

人(사람 인)에 하나의 가로선을 덧붙여서 일천의 뜻을 나타내었습니다.

✏️ 순서대로 써 보세요.

• 앞에서 익힌 十과 구별하고, 干(방패 간)이 되지 않도록 첫 획에 유의합니다.

🖊 알맞은 뜻, 소리, 모양을 찾아 ◯하세요.

- **千**의 뜻은  열   일천  입니다.

- **千**의 소리는  십   천  입니다.

- 일천 천의 모양은  千   十  입니다.

🖊 千이 쓰인 한자어를 찾아 ◯하세요.

水영장

千자문

十자가

千리마

🖊 필순에 맞게 千을 써 보세요.

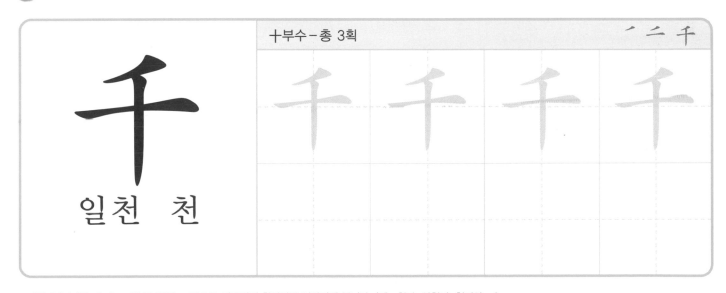

十부수 - 총 3획

ノ ニ 千

**千**
일천 천

• 千의 3요소(뜻, 소리, 모양)를 익히고, 千으로 이루어진 한자어를 이야기해 봅니다. (예 : 천년, 삼천리, 천리안 …)

## 다지기

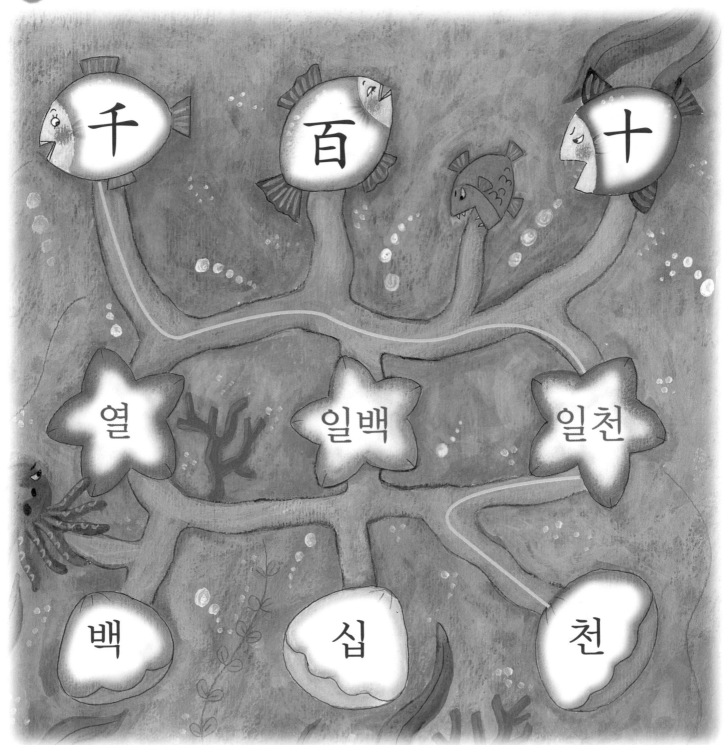

한자의 뜻과 소리를 바르게 찾아가세요.

* 한자의 뜻과 소리를 입으로 말하면서 길을 찾아갑니다.

![img_1](같은 한자끼리 연결하고 뜻과 소리를 쓰세요.)

일천 천

• 모양이 비슷한 한자를 바르게 구별합니다. (千:일천 천, 十:열 십, 百:일백 백, 七:일곱 칠, 五:다섯 오)

✏️ 이번 주에 배운 한자가 숨어 있어요. 숨어 있는 한자를 찾아 아래에 쓰세요.

| 百 | | |
|---|---|---|
| 뜻: 일백  소리: 백 | 뜻:  소리: | 뜻:  소리: |

● 한자를 쓸 때 손에 힘을 주어 크게 쓰는 연습을 합니다.

빈 곳에 알맞은 스티커를 붙이고 한자를 쓰세요.

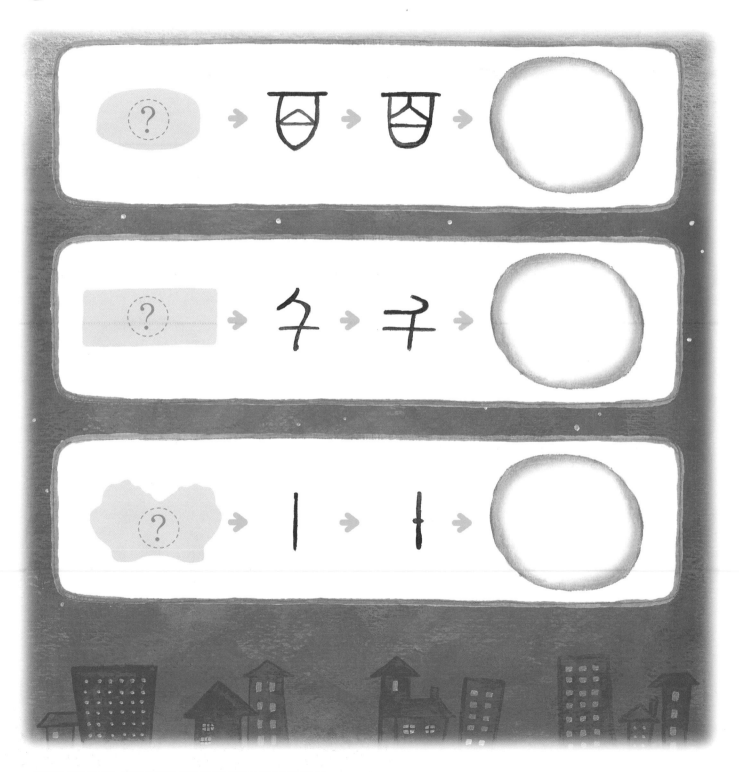

• 자원의 변화 과정을 이야기하면서 자연스럽게 한자를 기억하게 됩니다.

十   열 십   하나 일   일백 백

千   일곱 칠   일백 백   일천 천

百   일백 백   일천 천   날(해) 일

• 두 개 이상의 뜻, 소리가 제시된 상황에서 한자의 3요소를 익힙니다.

✎ 〈보기〉의 한자를 찾아 ◯하세요.

〈보기〉　일백 백　일곱 칠　일천 천　다섯 오　열 십

● 〈보기〉에 제시되지 않은 한자도 찾아 ◯하고, 3요소를 이야기해 봅니다.

한자의 뜻, 소리, 모양이 바르게 쓰인 길을 찾아가세요.

출발

十 열 십

百 일백 백

十 일곱 칠

白 일백 백

千 일천 천

二 셋 삼

六 여덟 팔

七 아홉 구

도착

• 3요소가 바른 곳을 따라가고 어려워하는 한자는 카드를 이용해 놀이 학습합니다.

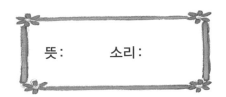

과 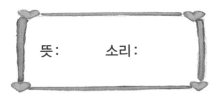이 이루는 한자의 뜻과 소리를 쓰세요.

뜻 :　　　소리 :

뜻 :　　　소리 :

• 뜻, 소리를 말하고 그림을 따라 그려 한자를 쓰면 더욱 효과적입니다.

✏️ 필순에 맞게 한자를 쓰세요.

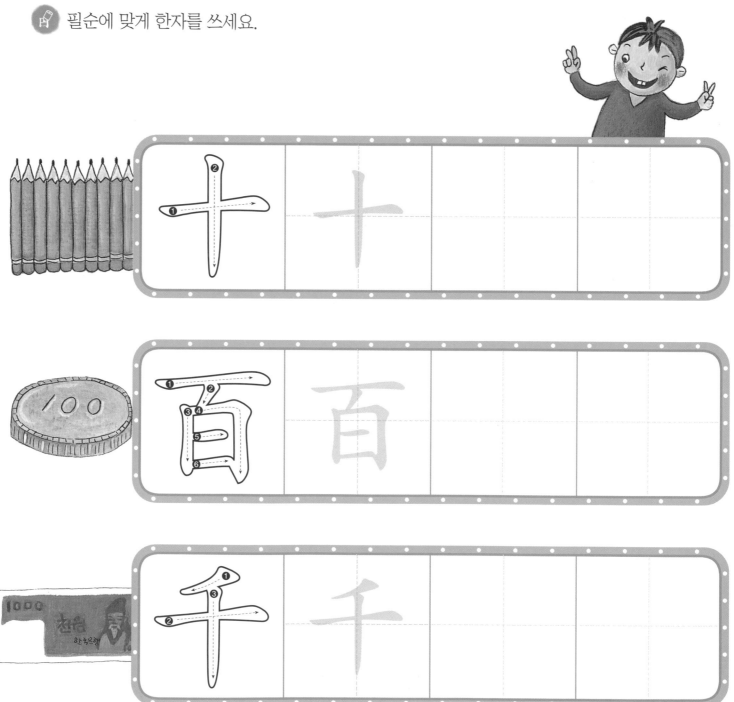

• 十을 쓸 때 가로획을 먼저 쓰는 원칙을, 千을 쓸 때 위에서 아래로 쓰는 원칙을 설명합니다.

빈 칸에 알맞게 쓰세요.

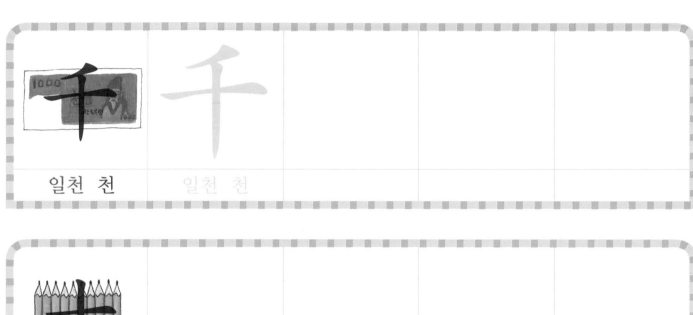

일천 천     일천 천

열 십

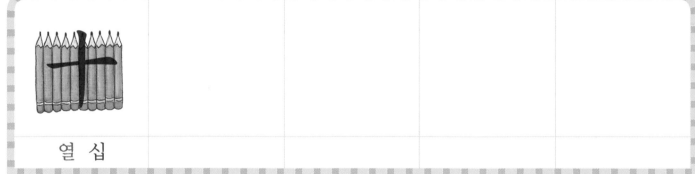

일백 백

• 一부터 九까지의 수를 이용하여 년도, 전화번호, 날짜 등을 한자로 응용할 수 있습니다.

# 한자의 필순 4

계속해서 반드시 지켜야 할 필순 원칙에 대해 알아봅시다.

◆ 필순의 원칙 3

**가로획과 세로획이 서로 만날 때는 가로획을 먼저 써요.**
가로획과 세로획이 만날 때는 가로획을 먼저 써요. 그래야 한자의 모양이 불안하지 않고
맵시 있는 한자가 됩니다.

> 十 : 一 十
> 土 : 一 十 土

◆ 필순의 원칙 4

**왼쪽과 오른쪽의 모양이 같을 때는 가운데를 먼저 써요.**
왼쪽과 오른쪽이 대칭이 되는 한자가 있습니다. 이런 한자는 중심을 먼저 잡아 놓으면
좋은 모양으로 쓸 수 있어요.

> 小 : 亅 小 小
> 水 : 亅 フ 水 水

－계속－

### 97a

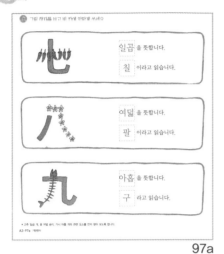

그림 하나를 보기 빈 칸에 알맞게 쓰세요

| 七 | 일곱 을 뜻합니다.<br>칠 이라고 읽습니다. |
| 八 | 여덟 을 뜻합니다.<br>팔 이라고 읽습니다. |
| 九 | 아홉 을 뜻합니다.<br>구 라고 읽습니다. |

### 97b

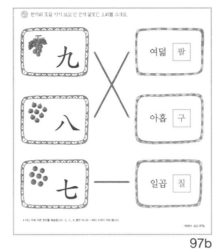

한자의 뜻과 소리 보고 바르게 읽으며 선으로 이으세요.

九 — 아홉 구
八 — 여덟 팔
七 — 일곱 칠

### 98a

백화점에서

엄마와 함께 백(百) 화점에 갔어요.
십(十) 자 교차로를 지나 도착했어요.

열 십 / 백화점 일백 백

### 98b

엄마가 내옷을 샀어요.
곰인형이 그려진 예쁜 윗옷이에요.
나는 모아 둔 천(千)원 짜리 3장을
엄마께 드렸어요.
엄마 얼굴이 햇님처럼 환해졌어요.

일천 천

### 99a

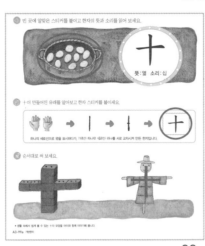

빈 곳에 알맞은 스티커를 붙이고 한자의 뜻과 소리를 읽어 보세요.

十 뜻:열 소리:십

十이 만들어진 유래를 알아보고 한자 스티커를 붙이세요.

손가락 → ㅣ → ㅓ → 十

순서대로 써 보세요.

### 99b

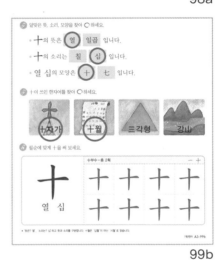

알맞은 뜻, 소리, 모양을 찾아 ○하세요.

· 十의 뜻은 열 일곱 입니다.
· 十의 소리는 칠 십 입니다.
· 열 십의 모양은 十 七 입니다.

十이 쓰인 한자어를 찾아 ○하세요.

十자가(○) / 十월(○) / 三각형 / 강산

필순에 맞게 十을 써 보세요.

十부수–총 2획

十 열 십

### 100a

빈 곳에 알맞은 스티커를 붙이고 한자의 뜻과 소리를 읽어 보세요.

百 뜻:일백 소리:백

百이 만들어진 유래를 알아보고 한자 스티커를 붙이세요.

→ 百 → 百 → 百

순서대로 써 보세요.

### 100b

알맞은 뜻, 소리, 모양을 찾아 ○하세요.

· 百의 뜻은 십 일백 입니다.
· 百의 소리는 백 사 입니다.
· 일백 백의 모양은 百 五 입니다.

百이 쓰인 한자어를 찾아 ○하세요.

식초물 / 百점(○) / 百화점(○) / 반月

필순에 맞게 百을 써 보세요.

百부수–총 6획

百 일백 백

### 101a

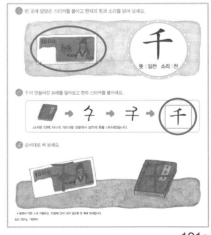

빈 곳에 알맞은 스티커를 붙이고 한자의 뜻과 소리를 읽어 보세요.

千 뜻:일천 소리:천

千이 만들어진 유래를 알아보고 한자 스티커를 붙이세요.

→ 千 → 千 → 千

순서대로 써 보세요.

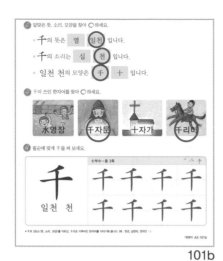

101b

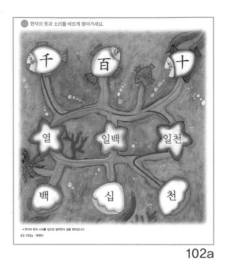

102a

102b

103a

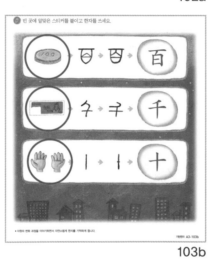

103b

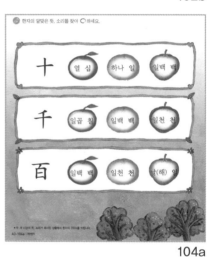

104a

104b

105a

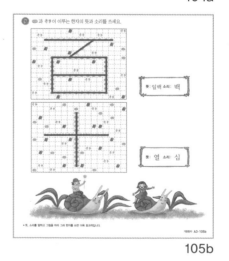

105b

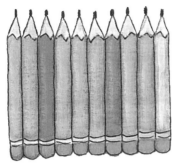

十

百

千

十
百
千

일백 백

기탄한자 A3집 9호

十

열 십

기탄한자 A3집 9호

十
百
千

열 십

일백 백

일천 천

기탄한자 A3집 9호

일천 천

기탄한자 A3집 9호

十月

百點

千里馬

十月

百點

千里馬

# 백점

틀린 것이 없이
다 맞음

百:일백 백   點:점 점

# 시월

한 해의 열째 달

十:열 십   月:달 월

 시월

 백점

 천리마

# 천리마

하루에 천리를
달릴 수 있는 말.
아주 뛰어난 말

千:일천 천   里:마을 리
馬:말 마

98a

백화점

일백 백

98b

일천 천

十

열 십

99a

100a

百

十

103b

千

101a

千

색종이를 손으로 찢어 나비를 꾸며 보세요.

보 기

• 뒷장에 있는 활동 창고의 색종이를 이용하여 놀아 보세요.

기획 · 편집 : 기탄교육연구소
발행인 : 정지향
발행처 : (주)기탄교육
주소 : 서울시 서초구 방배3동 537-5 기탄출판문화센터
등록 : 제 22-1740호(2000.5.3)
전화 : (02)586-1007
팩스 : (02)586-2337

※서점에 갈 시간이 없거나 구하기 어려운 분은 인터넷 또는 전화로 신청하세요. 즉시 우송해 드립니다.
● www.gitan.co.kr

ⓒ 2004 (주)기탄교육 All rights reserved.
저작권자의 동의 없이 본 교재를 무단으로 복제하거나 전재하는 것을 금합니다.

• 색종이를 손으로 찢어 나비를 꾸며 보세요.

─────── 오리는 선

 **놀이방법**

|  |  |  |

1. 활동 창고의 색종이를
가위로 오려요.

2. 오린 색종이를 손으로
예쁘게 찢어요.

3. 나비 그림에 예쁘게 붙여요.

• 선을 따라 오려 A3-9호 재미로 놀기에 활용하세요.

10
호

**기탄한자** A단계 3집 109a~120a

그림으로 익히고 놀이로 기억하는 입체 한자 학습 프로그램

# 기탄® 한자

A3집
10호
109a-120a

공부한 날  월  일 ~  월  일

(원)교  반

이름  전화

www.gitan.co.kr

기초 탄탄한 교육 · 기초 탄탄한 학습
G 기탄교육

**A단계**에서 배울 한자입니다.

| A단계 | | | | | | | |
|---|---|---|---|---|---|---|---|
| 1집 | 山, 川, 日 | 2집 | 一, 二, 三 | 3집 | 十, 百, 千 | 4집 | 田, 石, 玉 |
| | 月, 火, 水 | | 四, 五, 六 | | 耳, 目, 口 | | 力, 大, 小 |
| | 木, 金, 土 | | 七, 八, 九 | | 人, 手, 足 | | 上, 中, 下 |
| | 복습 | | 복습 | | 복습 | | 복습 |

※ 매주마다 학습한 한자를 누적하여 읽어 보세요.

## 학습진단관리표

| | 훈음 읽기 | 훈음 쓰기 | 한자 쓰기 | 한자어 읽기 | 이번 주는? |
|---|---|---|---|---|---|
| 금주평가 | Ⓐ 아주 잘함 | Ⓐ 아주 잘함 | Ⓐ 아주 잘함 | Ⓐ 아주 잘함 | ● 학습방법　❶ 매일매일　❷ 가끔　　❸ 한꺼번에 하였습니다. |
| | Ⓑ 잘함 | Ⓑ 잘함 | Ⓑ 잘함 | Ⓑ 잘함 | ● 학습태도　❶ 스스로 잘　❷ 시켜서 억지로 하였습니다. |
| | Ⓒ 보통 | Ⓒ 보통 | Ⓒ 보통 | Ⓒ 보통 | ● 학습흥미　❶ 재미있게　❷ 싫증내며 하였습니다. |
| | Ⓓ 노력해야 함 | Ⓓ 노력해야 함 | Ⓓ 노력해야 함 | Ⓓ 노력해야 함 | ● 교재내용　❶ 적합하다고　❷ 어렵다고　❸ 쉽다고 하였습니다. |

| 지도 교사가 부모님께 | 부모님이 지도 교사께 |
|---|---|
| | |

| 종합평가 | Ⓐ 아주 잘함 | Ⓑ 잘함 | Ⓒ 보통 | Ⓓ 노력해야 함 |
|---|---|---|---|---|

이번 주에는 耳 (귀 이), 目 (눈 목), 口 (입 구)를 배워요.

이렇게 **도와** 주세요

**1**일차 109a~110b
- 지난 호에서 학습한 十, 百, 千을 복습합니다.
- 동화를 읽고 耳, 目, 口의 뜻을 이야기해 봅니다.
- 한자 카드나 받아쓰기로 앞서 배운 한자를 복습합니다.

**2**일차 111a~113b
- 귀, 눈, 입의 모양과 한자의 모양을 연관시켜 기억합니다.
- 얼굴에 관련된 한자를 익힙니다.
- 코를 뜻하는 한자는 鼻(코 비)입니다.

**3**일차 114a~115b
- 耳, 目, 口의 3요소를 중점적으로 익히도록 도와 줍니다.
- 생활 주변에서 耳, 目, 口가 쓰인 한자어를 찾아 봅니다.

**4**일차 116a~117b
- 미로찾기, 한자 직관, 숨은 한자 찾기 등을 통해 한자를 재미 있게 학습할 수 있도록 합니다.

**5**일차 118a~120a
- 耳, 目, 口 학습을 마무리하고, 한자 보따리와 재미로 놀기를 통하여 흥미를 느끼게 지도합니다.
- 한자 카드는 고리에 끼워서 모아 두고 매일 잠깐씩 보여 줍니다.

✏️ 그림 한자를 보고 빈 칸에 알맞게 쓰세요.

를 뜻합니다.

이라고 읽습니다.

을 뜻합니다.

이라고 읽습니다.

을 뜻합니다.

이라고 읽습니다.

● 그림 한자를 보고 십, 백, 천의 요소를 먼저 찾아 봅니다.

한자와 뜻을 이어 보고 빈 칸에 알맞은 소리를 쓰세요.

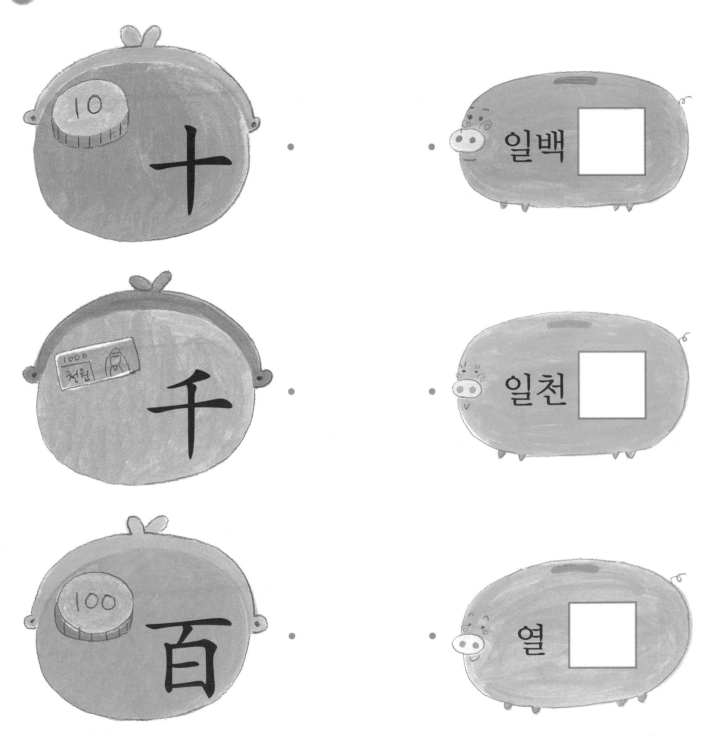

十

일백 □

千

일천 □

百

열 □

• 지난 주에 익힌 한자를 복습합니다. 十, 百, 千의 3요소와 一에서부터 千까지의 한자를 확인해 봅니다.

어떤 한자를 배울까요? 동화를 읽고 스티커를 붙여 알아보세요.

# 병원 놀이

응애응애 우리 아기
**귀(耳)** 가 아파요.
칙칙삭삭 이비인후과에 가지요.

OO 이비인후과

• 동화 속 주인공이 되어 학습할 한자의 뜻을 먼저 이야기해 봅니다.

아야아야 우리아기
입(口)을 크게 벌려요.
똑똑딱딱 소아과에 가지요.

○○ 소아과

꿈뻑꿈뻑 우리아기
눈(目)이 아파요.
한 방울 두 방울
안과에 가지요.

○○ 안과

🔊 빈 곳에 알맞은 스티커를 붙이고 한자의 뜻과 소리를 읽어 보세요.

耳

뜻 : 귀  소리 : 이

📖 耳가 만들어진 유래를 알아보고 한자 스티커를 붙이세요.

한 쪽 귀의 모습을 본뜬 한자입니다.

✏️ 순서대로 써 보세요.

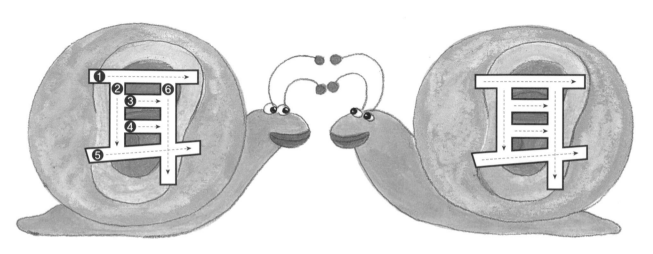

● 직접 귀를 보면서 귀의 모양과 한자의 모양을 연관시켜 봅니다.

✏️ 알맞은 뜻, 소리, 모양을 찾아 ◯하세요.

- **耳**의 뜻은 　귀 　눈 　입니다.

- **耳**의 소리는 　이 　목 　입니다.

- 귀 이의 모양은 　目 　耳 　입니다.

✏️ 耳가 쓰인 한자어를 찾아 ◯하세요.

八도강산

耳목

하川

耳비인후과

✏️ 필순에 맞게 耳를 써 보세요.

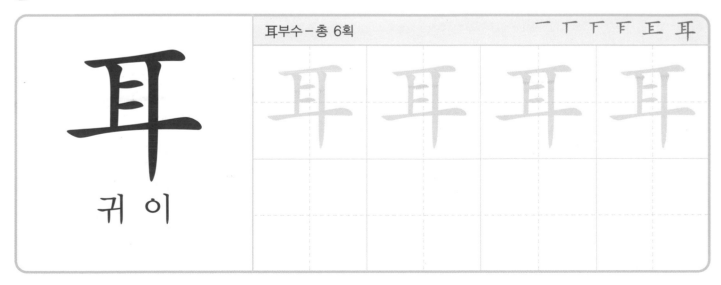

耳부수 - 총 6획

一 丁 丆 F 耳 耳

耳
귀 이

耳　耳　耳　耳

- 뜻과 소리와 모양을 구분하여 연습하고, 耳가 쓰인 다른 한자어도 이야기해 봅니다. (예 : 이순, 이목구비 …)

 目 알아보기

🔊 빈 곳에 알맞은 스티커를 붙이고 한자의 뜻과 소리를 읽어 보세요.

뜻 : 눈    소리 : 목

📝 目이 만들어진 유래를 알아보고 한자 스티커를 붙이세요.

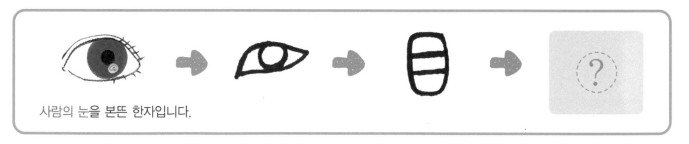

사람의 눈을 본뜬 한자입니다.

✏️ 순서대로 써 보세요.

• 그림으로 표현된 目의 변천 과정을 따라 그리면서 한자의 변형된 모양을 이해하도록 합니다.

✏️ 알맞은 뜻, 소리, 모양을 찾아 ⭕ 하세요.

- **目** 의 뜻은 　눈　　귀　 입니다.

- **目** 의 소리는 　문　　목　 입니다.

- 눈 목의 모양은 　目　　日　 입니다.

✏️ 目이 쓰인 한자어를 찾아 ⭕ 하세요.

五선지

제目

면目

식口

✏️ 필순에 맞게 目을 써 보세요.

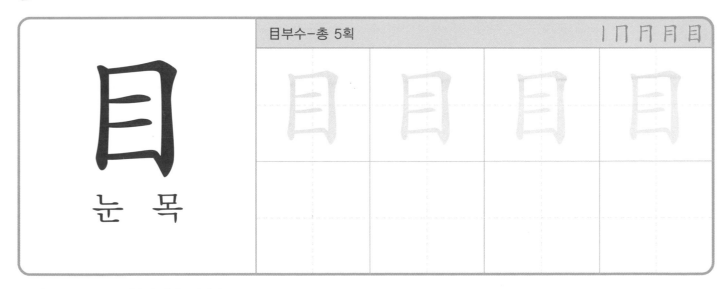

| 目 <br> 눈 목 | 目부수-총 5획　　　　　　　　ㅣ ㄇ ㄗ 月 目 |
|---|---|

- 모양이 비슷한 한자인 日(날/해 일)과 구별하세요.

 口 알아보기

🔊 빈 곳에 알맞은 스티커를 붙이고 한자의 뜻과 소리를 읽어 보세요.

뜻:입  소리:구

📄 口가 만들어진 유래를 알아보고 한자 스티커를 붙이세요.

사람의 입 모양을 본뜬 한자입니다.

✏️ 순서대로 써 보세요.

• 그림으로 표현된 口의 변천 과정을 따라 그리면서 사람의 입 모양과 연관시켜 기억합니다.

✏️ 알맞은 뜻, 소리, 모양을 찾아 ⭕하세요.

- 口의 뜻은 　입　　코　 입니다.

- 口의 소리는 　사　　구　 입니다.

- 입 구의 모양은 　四　　口　 입니다.

✏️ 口가 쓰인 한자어를 찾아 ⭕하세요.

 식口

 四계절

 日기

 출입口

✏️ 필순에 맞게 口를 써 보세요.

| 口부수-총 3획 | | | 丨冂口 |
|---|---|---|---|
| 口 | 口 | 口 | 口 |
| | | | |

口
입 구

● 口가 쓰인 다른 한자어도 이야기해 봅니다. (예 : 비상구, 인구, 창구…)

한자의 뜻과 소리를 바르게 찾아가세요.

口 耳 目

눈 입 귀

이 목 구

같은 한자끼리 연결하고 뜻과 소리를 쓰세요.

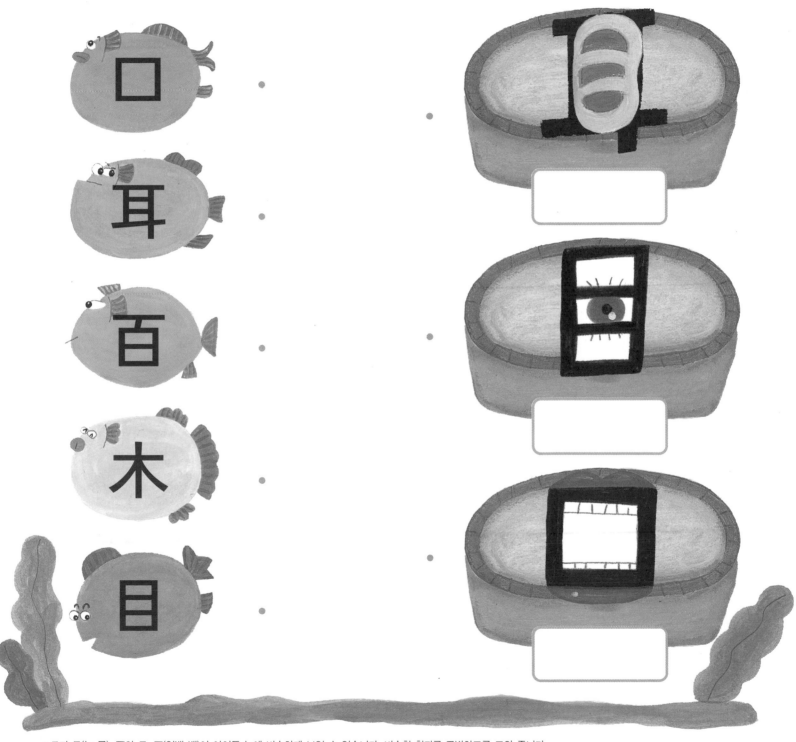

• 日과 目(눈 목), 耳와 目, 百(일백 백)이 아이들 눈에 비슷하게 보일 수 있습니다. 비슷한 한자를 구별하도록 도와 줍니다.

 이번 주에 배운 한자가 숨어 있어요. 숨어 있는 한자를 찾아 아래에 쓰세요.

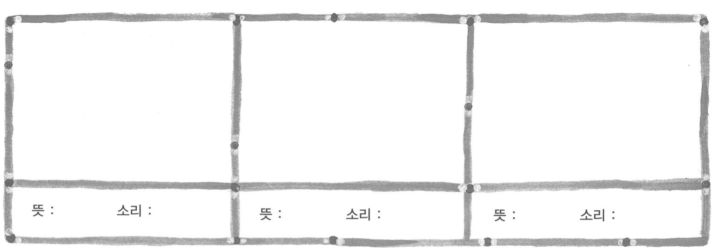

| | | |
|---|---|---|
| 뜻 :    소리 : | 뜻 :    소리 : | 뜻 :    소리 : |

● 한자의 모양이 생각나지 않으면 앞의 알아보기나 한자 카드를 이용하여 보고 쓰게 합니다.

빈 곳에 알맞은 스티커를 붙이고 한자를 쓰세요.

• 3요소를 바르게 학습하고, 오른쪽 뜻, 소리 난에 해당 한자를 써 봅니다.

〈보기〉의 한자를 찾아 ○ 하세요.

〈보기〉 귀 이 아홉 구 눈 목 열 십 입 구

● 한자를 찾는 활동으로 끝내지 않고 그림 위에 써 봅니다.

한자의 뜻, 소리, 모양이 바르게 쓰인 길을 찾아가세요.

출발

目 눈 목

耳 귀 이

百 귀 목

耳 코 이

百 일백 백

日 눈 목

口 눈 구

口 입 구

도착

● 3요소가 바르지 않은 곳은 바르게 고쳐 봅니다.

와 이 이루는 한자의 뜻과 소리를 쓰세요.

뜻 :　　　소리 :

뜻 :　　　소리 :

• 모눈 종이에 다른 한자를 직접 표현해 보면 더욱 효과적입니다.

필순에 맞게 한자를 쓰세요.

• 耳의 필순에 유의해서 씁니다.

빈 칸에 알맞게 쓰세요.

| 耳 | | | |
|---|---|---|---|
| 귀 이 | | | |

| 目 | | | |
|---|---|---|---|
| 눈 목 | | | |

| 口 | | | |
|---|---|---|---|
| 입 구 | | | |

• 目과 口의 쓰기는 둘레를 먼저 쓰고 마지막에 닫아 줍니다. ( l 冂 冃 月 目, l 冂 口 )

# 한자의 필순 5

◆ 필순의 원칙 5

**전체를 꿰뚫는 획은 제일 나중에 써요.**
글자를 꿰뚫는 한자는 주변을 먼저 쓴 다음 전체를 뚫는 획은 마지막으로 그어요.

中 : 丨 冂 口 中
母 : ㄴ ㄩ 丹 丹 母

◆ 필순의 원칙 6

**바깥쪽에서 안쪽으로 써 나가요.**
한자의 바깥쪽 속에 안쪽이 있는 경우는 바깥쪽부터 써요.

風 : 丿 几 几 凡 凤 凨 風 風 風
向 : 丿 亻 冂 向 向 向

◆ 필순의 원칙 7

**둘레를 막아 주는 획은 마지막에 써요.**
둘레를 막아 주는 획이 있을 때는 막아 주는 획을 제일 마지막으로 씁니다.

目 : 丨 冂 冂 月 目
四 : 丨 冂 冂 四 四

필순의 의미는 시대에 따라서 많이 변하게 되었고 예외적인 필순이 적용되는 한자도 있습니다.
하지만 여러분은 앞서 이야기한 원칙만은 반드시 지켜 한자를 쓰는 습관을 기르도록 합니다.

109a

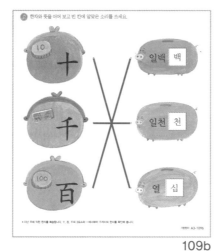

109b

110a

110b

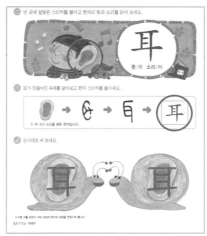

111a

111b

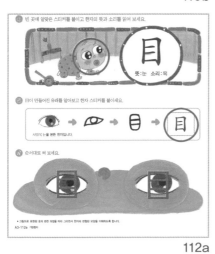

112a

112b

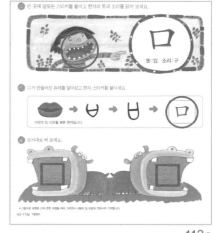

113a

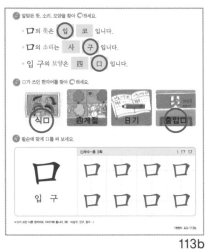

113b

114a

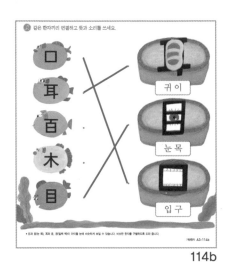

114b

115a

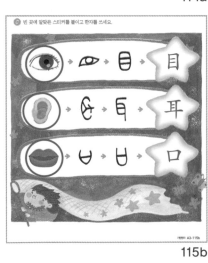

115b

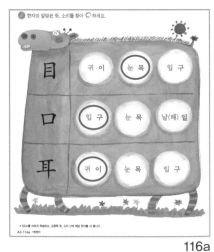

116a

116b

117a

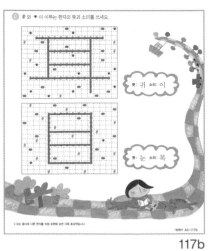

117b

耳

目

口

耳
目
口

目

눈 목

귀 이

| 耳 | 귀 | 이 |
| 目 | 눈 | 목 |
| 口 | 입 | 구 |

입 구

耳目

題目

食口

耳目

題目

食口

# 제목

책이나 문학 작품 등에서
그것의 내용을 보이거나
대표하는 이름

題:표제 제   目:눈 목

# 이목

귀와 눈.
다른 사람의 주의, 주목

耳:귀 이   目:눈 목

이목

제목

식구

# 식구

같은 집에서 끼니를
함께 하며 사는 사람

食:먹을 식   口:입 구

110a

 耳
귀 이

110b

 目
눈 목

 口
입 구

111a

  耳

112a

 目

113a

  口

115b

✂ 코끼리 귀와 악어 입을 붙여 입체 동화를 만들어 보세요.

앗! 동물들에게
뭔가 들어 갔나 봐요.
코끼리가 귀를 철썩 철썩!
악어가 입을 쩌억 쩌억!

● 뒷장에 있는 활동 창고의 그림을 이용하여 놀아 보세요.

기획 · 편집 : 기탄교육연구소
발행인 : 정지향
발행처 : (주)기탄교육
주소 : 서울시 서초구 방배3동 537-5 기탄출판문화센터
등록 : 제 22-1740호(2000.5.3)
전화 : (02)586-1007
팩스 : (02)586-2337

※서점에 갈 시간이 없거나 구하기 어려운 분은 인터넷 또는 전화로 신청하세요. 즉시 우송해 드립니다.
● www.gitan.co.kr

ⓒ 2004 (주)기탄교육 All rights reserved.
저작권자의 동의 없이 본 교재를 무단으로 복제하거나 전재하는 것을 금합니다.

• 코끼리 귀와 악어 입을 오려 입체 동화를 만들어 보세요.

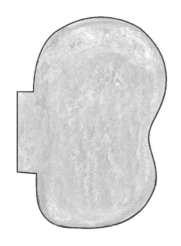

──────── 오리는 선

---------- 접는 선

▓▓▓▓▓▓ 풀칠하는 곳

## 놀 이 방 법

1.

활동 창고의 그림을
가위로 오려요.

2.

오린 그림을 코끼리와
악어에 풀칠해 붙이세요.

3.

코끼리 귀를 철썩철썩
움직이며 놀아요.

• 선을 따라 오려 A3-10호 재미로 놀기에 활용하세요.

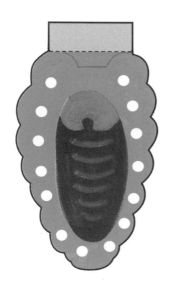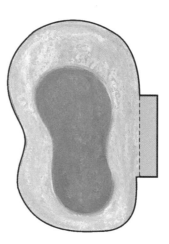

A3집
121a-132a

11호

기탄한자 A단계 3집 121a~132a

그림으로 익히고 놀이로 기억하는 입체 한자 학습 프로그램

# 기탄<sup>®</sup>한자

공부한 날    월    일 ~    월    일

_____
           (원)교              반

_____
이름              전화

www.gitan.co.kr

기초 탄탄한 교육 · 기초 탄탄한 학습
G 기탄교육

**A**단계에서 배울 한자입니다.

| A단계 | | | | | | |
|---|---|---|---|---|---|---|
| **1집** | 山, 川, 日 | **2집** | 一, 二, 三 | **3집** | 十, 百, 千 | **4집** | 田, 石, 玉 |
| | 月, 火, 水 | | 四, 五, 六 | | 耳, 目, 口 | | 力, 大, 小 |
| | 木, 金, 土 | | 七, 八, 九 | | 人, 手, 足 | | 上, 中, 下 |
| | 복습 | | 복습 | | 복습 | | 복습 |

※ 매주마다 학습한 한자를 누적하여 읽어 보세요.

## 학습진단관리표

| | 훈음 읽기 | 훈음 쓰기 | 한자 쓰기 | 한자어 읽기 | 이번 주는? |
|---|---|---|---|---|---|
| 금주평가 | Ⓐ 아주 잘함 | Ⓐ 아주 잘함 | Ⓐ 아주 잘함 | Ⓐ 아주 잘함 | ● 학습방법　❶ 매일매일　❷ 가끔　❸ 한꺼번에 하였습니다. |
| | Ⓑ 잘함 | Ⓑ 잘함 | Ⓑ 잘함 | Ⓑ 잘함 | ● 학습태도　❶ 스스로 잘　❷ 시켜서 억지로 하였습니다. |
| | Ⓒ 보통 | Ⓒ 보통 | Ⓒ 보통 | Ⓒ 보통 | ● 학습흥미　❶ 재미있게　❷ 실증내며 하였습니다. |
| | Ⓓ 노력해야 함 | Ⓓ 노력해야 함 | Ⓓ 노력해야 함 | Ⓓ 노력해야 함 | ● 교재내용　❶ 적합하다고　❷ 어렵다고　❸ 쉽다고 하였습니다. |

| 지도 교사가 부모님께 | 부모님이 지도 교사께 |
|---|---|
| | |

| 종합평가 | Ⓐ 아주 잘함 | Ⓑ 잘함 | Ⓒ 보통 | Ⓓ 노력해야 함 |
|---|---|---|---|---|

이번 주에는 人 (사람 인), 手 (손 수), 足 (발 족)을 배워요.

이렇게 **도와** 주세요

**1** 일차 121a~122b
- 지난 호에서 학습한 耳, 目, 口를 복습합니다.
- 동화를 읽고 人, 手, 足의 뜻을 이야기해 봅니다.
- 한자 카드나 받아쓰기로 앞서 배운 한자를 복습합니다.

**2** 일차 123a~125b
- 人, 手, 足은 사람, 손, 발의 형상을 본떠 만든 상형(象形)자임을 이해하도록 합니다
- 人은 모양이 비슷한 한자에 유의합니다. (八:여덟 팔 入:들 입)

**3** 일차 126a~127b
- 한자를 단순 반복 학습이 아닌 재미있는 방법을 통해 3요소를 익힐 수 있게 합니다.
- 手의 모양이 毛(털 모)가 되지 않게 유의합니다.

**4** 일차 128a~129b
- 人, 手, 足은 매우 자주 사용되는 한자이므로 완전 학습될 수 있도록 지도합니다.
- 人, 手, 足이 들어간 한자어를 이야기해 봅니다.

**5** 일차 130a~132a
- 人, 手, 足 학습을 마무리하고 한자 보따리와 재미로 놀기를 통하여 흥미를 느끼게 지도합니다.
- 한자 카드는 고리에 끼워서 모아 두고 매일 잠깐씩 보여 줍니다.

다시 보기

🖍 그림 한자를 보고 빈 칸에 알맞게 쓰세요.

□ 를 뜻합니다.

□ 라고 읽습니다.

□ 을 뜻합니다.

□ 이라고 읽습니다.

□ 을 뜻합니다.

□ 라고 읽습니다.

• 그림 한자에서 귀, 눈, 입의 요소를 찾고 정자체의 한자를 써 봅니다.

한자와 뜻을 이어 보고 빈 칸에 알맞은 소리를 쓰세요.

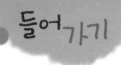

어떤 한자를 배울까요? 동화를 읽고 스티커를 붙여 알아보세요.

# 신발 장수 코끼리 아저씨

코끼리 아저씨가 구렁이에게 신발을 사라고 말했어요.

"아니에요. 아니에요."

"우리는 **발**(足)이 없어요.

배에 있는 비늘을 세워 기어다니지요."

이번에는 파리에게 신발을 사라고 말했어요.

"아니에요. 아니에요."

"우리는 **손**(手)과

발로 음식 맛을 봐야 해요."

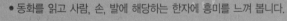

● 동화를 읽고 사람, 손, 발에 해당하는 한자에 흥미를 느껴 봅니다.

"그렇구나! 그렇구나!"

"신발이 필요한 발로 걷는
**사람**(人)들에게 가 보아야겠구나."

코끼리 아저씨는 사람들에게 예쁜 신발을 많이 팔았답니다.

🔊 빈 곳에 알맞은 스티커를 붙이고 한자의 뜻과 소리를 읽어 보세요.

뜻:사람    소리:인

📖 人이 만들어진 유래를 알아보고 한자 스티커를 붙이세요.

옆으로 서 있는 사람의 모습을 본뜬 한자입니다.

✏️ 순서대로 써 보세요.

● 모양이 비슷한 한자 入(들 입)과 八(여덟 팔)을 구별합니다.

알맞은 뜻, 소리, 모양을 찾아 ⃝ 하세요.

- 人의 뜻은 **사람** **동물** 입니다.

- 人의 소리는 **입** **인** 입니다.

- 사람 인의 모양은 **人** **八** 입니다.

人이 쓰인 한자어를 찾아 ⃝ 하세요.

千리마

人간

人형

火산

필순에 맞게 人을 써 보세요.

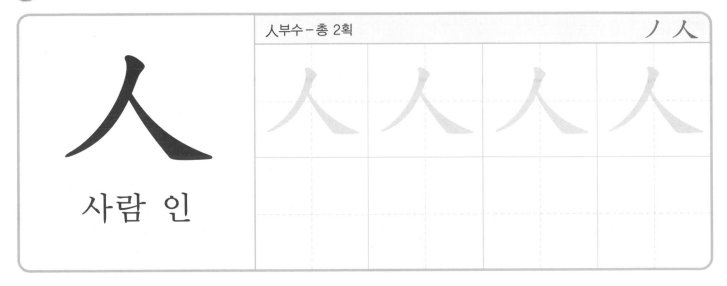

人
사람 인

人부수 - 총 2획

ノ人

• 人의 뜻, 소리, 모양과 필순을 익히고, 人이 쓰인 한자어를 말해 봅니다. (예 : 인물, 인어, 인상…)

手 알아보기

🔊 빈 곳에 알맞은 스티커를 붙이고 한자의 뜻과 소리를 읽어 보세요.

뜻 : 손   소리 : 수

📖 手가 만들어진 유래를 알아보고 한자 스티커를 붙이세요.

한 쪽 손의 모습을 본뜬 한자입니다.

✏️ 순서대로 써 보세요.

● 그림으로 표현된 手의 자원 변화 과정을 따라 그리면서 한자의 변형된 모양을 이해하도록 합니다. 모양이 비슷한 한자인 毛(털 모)와 구별합니다.

알맞은 뜻, 소리, 모양을 찾아 ○하세요.

- 手의 뜻은 손 발 입니다.
- 手의 소리는 족 수 입니다.
- 손 수의 모양은 手 足 입니다.

手가 쓰인 한자어를 찾아 ○하세요.

手술

水요일

선手

人형

필순에 맞게 手를 써 보세요.

| 手 손 수 | 手부수 – 총 4획 ` ´ ニ 三 手 | | | |
|---|---|---|---|---|
| | 手 | 手 | 手 | 手 |
| | | | | |

• 手와 水는 모두 소리가 '수'입니다. 그러나 뜻은 서로 다름을 설명합니다. 필순이나 부수는 나이가 어릴 경우 지나치게 강조하지 않도록 합니다.

足 알아보기

🔊 빈 곳에 알맞은 스티커를 붙이고 한자의 뜻과 소리를 읽어 보세요.

뜻: 발  소리: 족

📖 足이 만들어진 유래를 알아보고 한자 스티커를 붙이세요.

사람의 무릎 아래에서 발까지의 모습을 본떠 만들어 발을 뜻하는 한자입니다.

✏️ 순서대로 써 보세요.

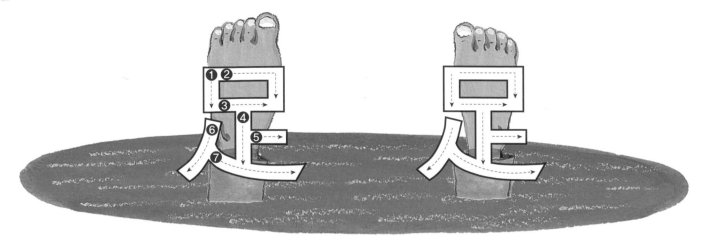

• 그림으로 표현된 足의 자원 변화 과정을 따라 그리면서 한자의 변형된 모양을 이해하도록 합니다.

✏️ 알맞은 뜻, 소리, 모양을 찾아 ◯ 하세요.

- 足의 뜻은 　손　 　발　 입니다.

- 足의 소리는 　족　 　수　 입니다.

- 발 족의 모양은 　足　 　手　 입니다.

✏️ 足이 쓰인 한자어를 찾아 ◯ 하세요.

 足구

 출입口

 수足

 선手

✏️ 필순에 맞게 足을 써 보세요.

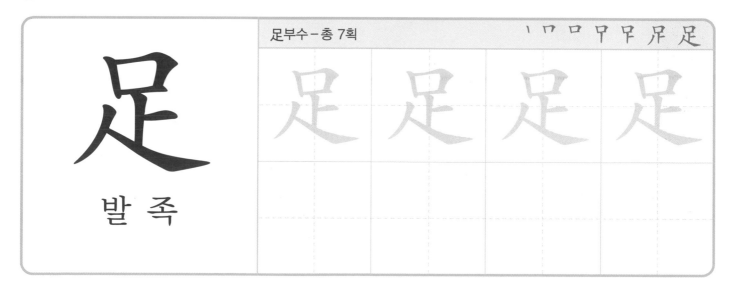

足부수 – 총 7획　　　　　　　　丨 口 口 尸 무 무 足 足

足

발 족

足　足　足　足

● 人, 手, 足과 같이 한자 자체가 부수인 글자를 '제부수자' 라 합니다.

한자의 뜻과 소리를 바르게 찾아가세요.

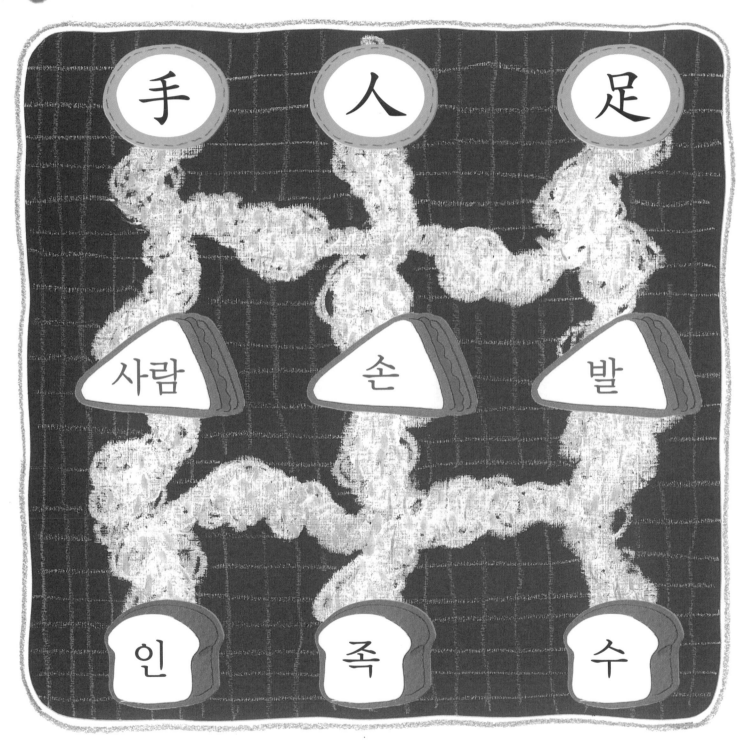

• 앞서 전개한 人, 手, 足의 3요소를 다지는 연습을 합니다. 이때 어려워하는 한자가 있다면 자원 설명과 카드를 이용하여 이해를 돕습니다.

같은 한자끼리 연결하고 뜻과 소리를 쓰세요.

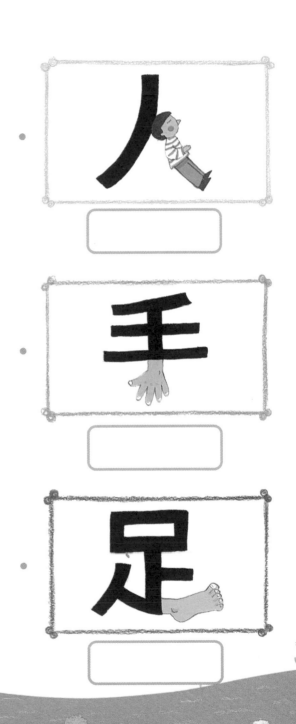

이번 주에 배운 한자가 숨어 있어요. 숨어 있는 한자를 찾아 아래에 쓰세요.

| | | |
|---|---|---|
| 뜻 :　　　소리 : | 뜻 :　　　소리 : | 뜻 :　　　소리 : |

● 한자 모양의 일부분을 보고 한자를 기억하는 연습을 합니다.

빈 곳에 알맞은 스티커를 붙이고 한자를 쓰세요.

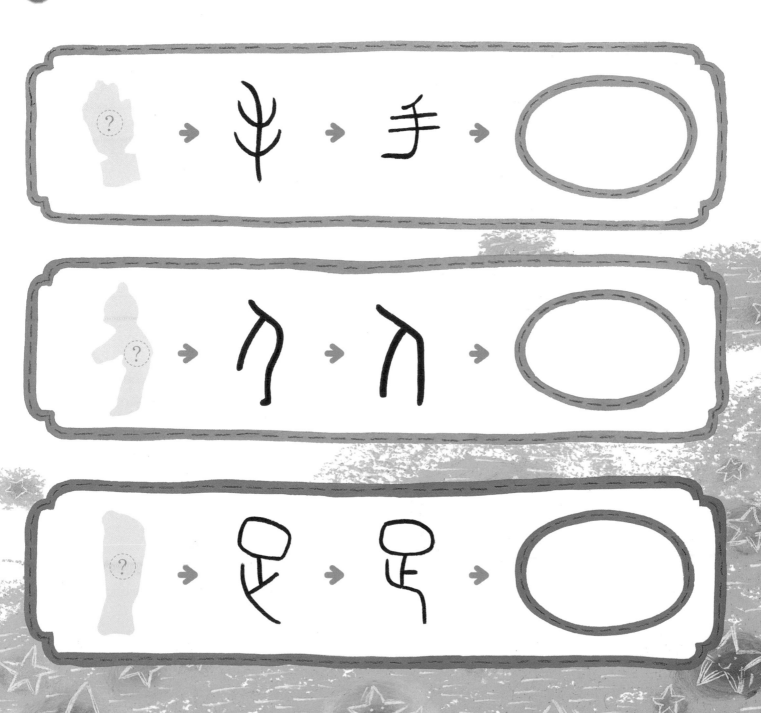

• 그림을 보고 한자를 유추하고, 자원 변화를 인식하여 한자를 외우지 않고 이해합니다.

人　여덟 팔　사람 인　손 수

手　일천 천　사람 인　손 수

足　발 족　입 구　손 수

〈보기〉   귀 이   사람 인   손 수   눈 목   발 족

• 그림 속의 숨은 한자를 찾고, 따라 쓰기 합니다.

한자의 뜻, 소리, 모양이 바르게 쓰인 길을 찾아가세요.

• 한자의 3요소가 충분히 익혀진 경우 바르지 않은 곳을 옳게 고쳐 봅니다.

 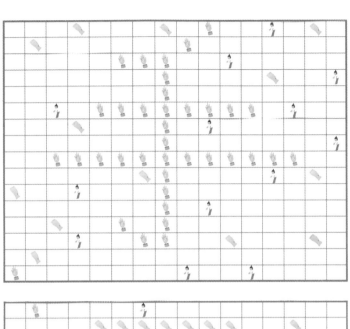과 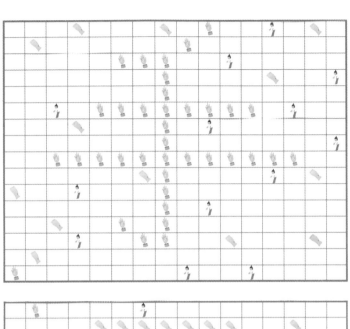이 이루는 한자의 뜻과 소리를 쓰세요.

뜻 :　　　소리 :

뜻 :　　　소리 :

● 그림으로 조합된 한자를 보고 한자의 모양을 추리하여 봅니다.

✏️ 필순에 맞게 한자를 쓰세요.

人　人

手　手

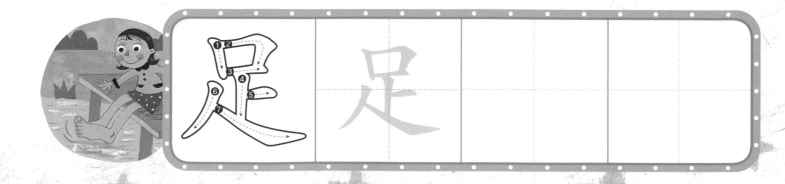

足　足

● 한자를 쓸 때는 크게 한 획 한 획 천천히 써 나갑니다.

사람 인

손 수

발 족

# 여러분도 명필이 될 수 있어요. 1

여러분도 조선 시대의 명필 한석봉의 이야기를 들어본 적이 있나요?

한석봉은 어머니와 떨어져 글씨 공부를 하고 있었어요.

글씨 공부에 어느 정도 자신이 생긴 석봉이 어머니를 만나러 집에 돌아왔을 때,

석봉의 어머니는 반갑게 맞이하긴 커녕, 불을 끈 깜깜한 방안에서

석봉에게 글씨를 쓰게 하고  어머니는 떡을 썰었다고 합니다.

불을 켠 후 석봉은 자신의 삐뚤삐뚤한 글씨 모양과

어머니의 정갈하고 일정한 간격으로 썰어진 떡을 보고 크게 뉘우쳐

더욱 더 열심히 공부하였답니다.

그래서 최고의 명필이 되어 후세에 이름을 떨치게 되었습니다.


여러분도 글씨를 예쁘게 쓸 수 있는 방법을 알아보기로 해요.

-계속-

121a

121b

122a

122b

123a

123b

124a

124b

125a

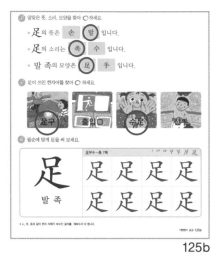

125b

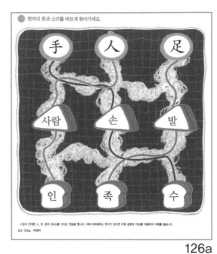

126a

126b

127a

127b

128a

128b

129a

129b

人

手

足

人
手
足

手
손 수

人
사람 인

人 사람 인
手 손 수
足 발 족

足
발 족

人間

選手

手足

 人間

 選手

 手足

# 선수

어떤 기술이나 운동 따위에
뛰어나 여럿 중에서
대표로 뽑힌 사람

選:가릴 선　手:손 수

# 인간

사람, 인류.
사람의 됨됨이

人:사람 인　間:사이 간

인간

선수

수족

# 수족

손과 발.
손발처럼 마음대로
부리는 사람을
비유하여 이르는 말

手:손 수　足:발 족

122a

人
사람 인

手
손 수

122b

足
발 족

123a

人

124a

手

125a

足

127b

개구리를 접어 연못을 꾸며 보세요.

• 뒷장에 있는 활동 창고의 색종이를 접어 놀아 보세요.

기획·편집 : 기탄교육연구소
발행인 : 정지향
발행처 : (주)기탄교육
주소 : 서울시 서초구 방배3동 537-5 기탄출판문화센터
등록 : 제 22-1740호(2000.5.3)
전화 : (02)586-1007
팩스 : (02)586-2337

※서점에 갈 시간이 없거나 구하기 어려운 분은 인터넷 또는 전화로 신청하세요. 즉시 우송해 드립니다.

● www.gitan.co.kr

ⓒ 2004 (주)기탄교육 All rights reserved.
저작권자의 동의 없이 본 교재를 무단으로 복제하거나 전재하는 것을 금합니다.

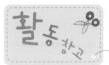

• 개구리를 접어 재미로 놀기에 꾸며 보세요.

### 개구리 얼굴 만들기

**1.**
가운데 중심선을
만들고 난 후
반을 접는다.

**2.**
●과 ●이 만나도록
접는다.

**3.**
화살표 방향으로
펼쳐 눌러 접는다.

**4.**
3을 접은 모습

**5.**
네 모서리를 뒤로
조금씩 접는다.

**6.**
개구리 얼굴완성

### 개구리 몸 만들기

**1.**
중심선을 만들고
난 후 반을 접는다.

**2.**
위로 접는나.

**3.**
뒤로 조금 접는다.

**4.**
개구리 몸 완성

**완 성 된 모 습**

얼굴과 몸을 합쳐 눈과 입을
그리면 개구리 완성

──────── 오리는 선

• 선을 따라 오려 A3-11호 재미로 놀기에 활용하세요.

12 호

기탄한자 A단계 3집  133a~144a

# 한자 파노라마 놀이

모든 문자는 실생활과 연관된 활용이 가장 중요합니다. 텔레비전이나 신문, 거리의 간판 등에서
자신이 알고 있는 한자를 만날 때 아이들은 학습에 흥미와 의욕을 느낍니다.
한자 파노라마 놀이는 이러한 상황을 연출하여 A3집에서 학습한 9자를 복습할 수 있도록 만든 놀잇감입니다.

● 뜻·소리 말하기

**1** 12호 부교재를 오려
한자 파노라마를 만들어요.

**2** 성그림에 문을 열고 한자 필름을
끼워 뜻·소리를 말해요.

**3** 모르는 한자는 필름 뒷면을
보고 뜻·소리를 확인해요.

• 제시된 놀이 방법 이외에도 재미있는 방법으로 익히도록 합니다.

**기탄교육연구소 이사** 박원동 | **기획・편집 책임** 진수연 이후영 이호식 | **원고 집필** 김호기 김중희 양원석 강영주 | **디자인 책임** 백지원 차경희 한진옥 |
**디자인** So good | **일러스트** 1집: 홍숙희 장미숙 나옥주 손민지  2집: 박희숙 박선영 이은영 김은주  3집: 이덕진 김희정 강명근 이선화  4집: 이연재
강혜진 홍숙희 김은주 | **제작** 양창길 정하건 | **홍보** 복정선 | **온라인 기획** 이건장 | **기탄교육연구소** 서울시 서초구 방배3동 537-5 기탄출판문화센터 |
**전화** (02) 586-1008 | **팩스** (02) 597-0254 | ⓒ 2004 (주)기탄교육 All rights reserved.
본 교재의 저작에 관한 모든 권리는 (주)기탄교육에 있습니다. 저작권자의 동의 없이 본 교재를 무단으로 복제하거나 전재하는 것을 금합니다.